Nocilla Lab

Nocilla Lab

Agustín Fernández Mallo

ALFAGUARA

© 2009, Agustín Fernández Mallo
© De esta edición:
2009, Santillana Ediciones Generales, S. L.
Torrelaguna, 60. 28043 Madrid
Teléfono 91 744 90 60
Telefax 91 744 92 24
www.alfaguara.santillana.es

ISBN: 978-84-204-2234-3
Depósito legal: M. 32.379-2009
Impreso en España - Printed in Spain

Diseño:
Proyecto de Enric Satué

© Cubierta:
Agustín Fernández Mallo, sobre una imagen de la película *La aventura*.

© Cómic final:
Texto: Agustín Fernández Mallo
Dibujos: Pere Joan

Impreso en el mes de septiembre de 2009,
en los Talleres Gráficos de Top Printer Plus, S.L.L.,
Móstoles, Madrid (España)

Nocilla Lab

Hay ruido en todas partes. A cualquier temperatura por encima de cero absoluto los átomos se agitan con energía termal. Esto pone en marcha un zumbido de fondo que impregna toda la materia.

Masa crítica
PHILIP BALL, TURNER-FCE, 2008

Como en un documental,
era esto nuestro parte de un mismo documental.

Con las vainas olvidadas
SR. CHINARRO

Parte 1

MOTOR AUTOMÁTICO DE BÚSQUEDA

Hay una historia real, además de muy significativa: un hombre regresa a la ciudad abandonada de Prípiat, en Chernóbil, tras haber huido 5 años atrás con el resto de la población, cuando ocurriera la explosión de la Central Nuclear, recorre las calles absolutamente vacías, los edificios en pie y en perfecto estado le van recordando la vida en esa ciudad, no en vano fue uno de los obreros que contribuyó, en la década de los 70, a su construcción, llega a su calle, busca las ventanas de su piso en el conjunto de bloques de edificios, observa las fachadas detenidamente un par de segundos, 7 segundos, 15 segundos, 1 minuto, y dice dirigiéndose a la cámara, No estoy seguro, no estoy seguro de que aquí estuviera mi casa, vuelve a detener la mirada en el bosque de ventanas e insiste, sin ya mirar a cámara, No lo sé, no lo sé, quizá sea ése, o aquel de allí, no lo sé, y este hombre ni llora ni muestra afectación alguna, ni siquiera perplejidad, ésta es una historia importante en lo que se refiere a la existencia de parecidos entre cosas, yo podría haberle seguido la pista a este hombre, haber investigado su pasado, sus condiciones de vida actuales, sus fiestas patronales y dramas domésticos, la cantidad de *milisieverts* que recibió su organismo años atrás en forma de radiación gamma, alfa y beta, incluso las mutaciones de sus tejidos internos, o qué clase de involuntario afán por borrar sus pasos le lleva ahora a no saber dónde vivía, a no querer entrar en su casa para ver allí todas sus cosas, el filete de vaca rusa en la sartén, la mesa puesta, la cama deshecha, la tele apagada pero con el botón en posición ON, el reloj despertador

funcionando porque usaba alcalinas, las colillas en un cenicero con forma de contenedor de residuos nucleares,
todo tal como hace 5 años lo dejó, sí, podría seguirle la
pista a ese hombre, pero no, en realidad, siempre me he
apartado de toda clase de hombres, sólo me interesan las
mujeres, en todos los sentidos que se le pueda dar a la
palabra «mujer», los únicos hombres que me han interesado son aquellos a los que consideré totalmente diferentes a mí pero simultáneamente superiores a mí, a los que
consideré «casos», «casos clínicos», como decía un escritor
llamado Cioran para referirse a cierta clase de personas
patológicamente brillantes, y en este sentido, como «caso
clínico», siempre he aspirado a hallar en alguien la diferencia del Replicante, el ente perfecto y situado en los
márgenes del ser humano, ni más allá, ni más acá, justo
en la biológica frontera, este tipo de pensamientos son
bastante absurdos dado que al final todos somos más o
menos idénticos, no idénticos de la misma manera en
que, por ejemplo, son idénticos 2 fotones, que se le reve-
lan a la física como *indistinguibles,* sino en el sentido de
«muy parecidos», por eso aspirar a la diferencia, al «caso
clínico», resulta un posicionamiento infantil, lo que no
impide que cierta ilusión de divergencia respecto al mundo te ayude a actuar, a progresar, a entrar en estrés y ansiedad, a estar vivo en contra de lo que entienden por
«estar vivo» las blandas filosofías orientales, el estrés ayuda a generar entropía, desorden, vida, uno viaja por diferentes países y ve cosas muy distintas en cuanto a vegetación, animales, costumbres o rasgos que definen razas y
culturas, y sin embargo tarde o temprano termina por
enunciar una ley cierta: todo, visto con el suficiente detalle, es idéntico a su homólogo del lugar más alejado de la
Tierra: vista bien de cerca, una hoja de una garriga de Cerdeña es igual a la de un pino de Alaska, o los poros de la
piel de un sudanés son idénticos a los de un esquimal, o
una representación de un Buda en Bangkok a la de un

Jesucristo de Despeñaperros, y así con todo, porque existe otra ley igualmente general y cierta: el turista recorre países y siente empatía por lo que allí descubre debido únicamente a que todo le recuerda a algo que ya existe en otros lugares que ha conocido, algo que sin ser exactamente igual a lo que ya ha visto, es en cierto modo igual, el Replicante de *Blade Runner,* y todo esto tiene mucho que ver con lo que entendemos por frontera, por solapamiento de dos superficies, porque hallar una novedad absoluta sería monstruoso, insoportable, una pesadilla, en la misma medida que también lo sería la identidad absoluta, y entonces buscamos argumentos para pasar por alto esa paradoja, me encantan las paradojas, no es que me encanten, decirlo así es una tontería, es que, simplemente, sin ellas no existiría la vida y el planeta sería un yermo, así que, sencillamente, las paradojas *son,* existen, y punto, son ellas quienes crean conflictos entre 2 o más sistemas, ya sean sistemas vivos, mecánicos o simbólicos, y eso, según un eminente científico llamado Prigogine, es lo que da lugar a lo que entendemos por vida, lugares donde no hay equilibrio: la paradoja es también una forma de desequilibrio, estábamos en un puerto de una pequeña isla al sur de otra isla llamada Cerdeña, el corazón del Mediterráneo, un pueblo marinero donde habíamos llegado tras meses de continuo peregrinaje, continua búsqueda del lugar apropiado para erigir el Proyecto, nuestro Proyecto, como nos gustaba llamarlo, algo colosal que desde hacía años nos tenía más que ocupados, abducidos, y de repente, aquel lugar de aquella isla al sur de otra isla llamada Cerdeña, me pareció un pueblo de pescadores portugués, un pueblo cualquiera, pero portugués, atlántico, casas bajas, ligeramente ornamentadas con motivos barrocos y pintadas de azules y naranjas, había un bar-pizzería con aspecto de taberna, construido junto al muelle en madera oscura, y en cuyo letrero de neón se dibujaba un galeón del siglo 19 tipo el de *Moby Dick,* batiéndose en una tormenta, uno de esos galeones que destilan una épica tal que ya sabes que saldrá con éxito de la contienda, y ella y yo entramos en ese bar-pizzería a tomar algo, a ver pasar los barcos, a ver rodar los papeles entre los coches aparcados en el muelle, a nada, nos sentamos en unas mesas que eran tablones amplios y corridos para albergar lo menos a 20 personas, banderas de barcos llenaban las paredes, así como instrumentos varios de navegación, extraños para mí, para ambos, artefactos sin otro cometido que una ornamentación sólo comprensible a especialistas, órganos extirpados a antiguos galeones, y le dije en ese momento a ella, justo en el preciso momento en que tomábamos asiento en el tablón de pino barnizado y ella apartaba ligeramente un vaso para apoyar su paquete de Marlboro, Acabo de tener la sensación de estar en las Azores, y ella se sorprendió mucho, no se quitó las gafas de sol, no pude observar su sorpresa en la dilatación de sus pupilas, pero sé que se sorprendió mucho, los mediterráneos como ella tienen muy arraigado el mito de que su mar es incomparable a cualquier otro porque en él nació lo que entendemos por belleza civilizada, Occidente, pero lo cierto es que aun siendo verdad que el Mediterráneo fue el cableado Internet de antiguas civilizaciones, aun estando ese dato perfectamente consignado, es un mar muy sobrevalorado, pero de esa sobrevaloración no hablamos en aquel momento ella y yo, cuando nos sentamos a comer en aquel bar de una isla al sur de Cerdeña, sino de mi frase: «Acabo de tener la sensación de estar en las Azores», aunque en realidad tampoco hablamos de lo que implicaba esa frase porque ella sólo asintió con un escueto, Sí, y aunque ella nunca había estado en las Azores supo que el símil era cierto, preciso, yo tampoco había estado nunca en las Azores, pero es que en aquel momento, justo en aquel momento en aquel bar de una pequeña isla al sur de Cerdeña al que habíamos entrado a tomar algo, a ver pasar los barcos, a seguir con la mirada el rodar de los papeles en el muelle, a nada, me vino a la cabeza un artículo de un escritor llamado Enrique Vila-Matas, un breve artículo que había leído hacía muchos años en un periódico, en el que este escritor hablaba de un bar de un puerto de las Azores, y lo asocié inmediatamente a ese en el que ahora ella y yo estábamos, un bar quizá también de madera, no sé, un bar en el que aquel escritor contaba que los marineros que cruzaban el Atlántico se dejaban mensajes en un tablón de corcho de la entrada o esculpidos con una navaja en la pared cuando el corcho estaba ya repleto, y cuyos destinatarios no eran los lugareños sino otros marineros que, sabían, pasarían por aquel bar de las Azores tarde o temprano, en ocasiones incluso años después de haberse escrito el mensaje, como si el verdadero destinatario de todas esas palabras no fueran las personas sino, cartero inmóvil, el propio océano Atlántico, que en tiempo real las emite, recibe y custodia, eso había pensado yo cuando leí aquel artículo en aquel periódico escrito por un hombre llamado Enrique Vila-Matas, una historia y un bar de las Azores que, casualmente, hacía poco tiempo había vuelto a recordar a raíz de que un amigo que estaba llevando a sueldo un velero del Caribe a Mallorca nos había llamado al llegar a las Azores para anunciarnos que ya estaba allí, que la travesía había salido bien «hasta el momento», recalcó, era la primera vez que este amigo hacía esa ruta, es más, era la primera vez que salía mucho más allá de la bahía de Palma de Mallorca, recuerdo que la comunicación telefónica aquel día era pésima, yo le pregunté por el bar, el bar aquel del que tenía referencia por un artículo de un escritor llamado Enrique Vila-Matas y en el cual se decía que la gente se dejaba mensajes en un corcho que tardaban un año en llegar, y me dijo que el bar había desaparecido producto de un golpe de mar, nos quedamos unos segundos en silencio, colgados de los auriculares, no entiendo muy bien por qué se hizo aquel silencio antes de seguir hablando de los pequeños detalles

de su aventura náutica, pero ese silencio existió, aseguro
que existió, aún no me lo explico, cuando colgué pensé
en los mensajes tallados en la propia pared de aquel bar
de las Azores y que en ese momento estaban ya en el fondo del mar, pero pensé con más inquietud en los mensajes
de papel clavados en el gran tablón de corcho, imaginé
que primero la tinta de las palabras, y después el propio
papel estarían en ese momento diluyéndose, y que ahora
sí cobrarían sentido todas las letras allí escritas cuyo destino final sería por fin el propio océano, revelándose-
me todo aquello, todo aquel tablón de letras y corcho,
con otro significado, con un significado que estaba ahí
pero que no veíamos, un significado que atraviesa la frontera de lo que no tiene un sentido especial cuando está
entre nosotros y de repente emerge como imprescindible
una vez desaparecido, una línea de separación impercep-
tible pero honda: sin ir más lejos, ese día en aquel pueblo
de aquella isla al sur de Cerdeña, el recuerdo de aquel
artículo que años atrás yo había leído y que hablaba de un
bar de las Azores, bar que según nuestro amigo navegan-
te ya no existía producto de un golpe de mar, inmortali-
zó, singularizó, diríamos, para siempre un bar-pizzería de
una isla al sur de Cerdeña al que habíamos entrado a comer algo, a ver los papeles en el muelle rodar, a nada,
porque hay objetos, cosas, que actúan de polo magnético
para otras lejanas de manera que las dotan de sentido, lo
decía Italo Calvino: hay que tener mucho cuidado con los
objetos que se introducen en un texto porque actúan de
polo magnético en la narración, atraen al argumento, se
vuelven objetivos potenciales de nuestra atención, en la
vida pasa lo mismo, como, por ejemplo, cuando vas a un
país y una rama de un árbol te recuerda a otra de un lugar
muy lejano, o cuando miras detenidamente los poros de
la piel de un sudanés que va frente a ti en el bus y te parecen idénticos a los de un esquimal que te pasó la sal en
una espaguetería de San Francisco, porque al final todo,

humanos incluidos, está hecho de electrones, de quarks, de amorales fuerzas que nos mantienen unidos, y nada más, pero aquel día, el día en que ella y yo entramos en aquel bar de aquella isla al sur de Cerdeña a comer algo, a ver los barcos pasar, a ver rodar los papeles en la calle llevados por el viento, a nada, ocurrió otra cosa, algo importante: cuando casi habíamos terminado el segundo plato, una ensalada de atún de la zona que a mí ya me parecía atún de las Azores, cocinado de 7 formas diferentes con judías, tomate y pan seco en picatostes, vibró mi teléfono en el bolsillo, era un amigo al que habíamos dejado al cuidado y riego de las plantas de nuestro piso, y al cuidado también de la gata, animal al que iba a ponerle un plato de pienso cada 2 días, su llamada tenía un objeto muy definido, anunciarnos que esa misma mañana, cuando entró en el piso, se había encontrado a nuestra gata muerta delante de la puerta del cuarto de baño, entonces yo disimulé como si hablara con él de otra cosa, y colgué, no sabía cómo decírselo a ella, la verdadera propietaria de la gata, una gata que la había acompañado los últimos 15 años de su vida, lo pensé un rato y al final creí que lo mejor era comunicárselo sin patetismos ni excesos, Ha ocurrido un problema con la gata, le dije, un problema irremediable, lo siento, ha muerto, ésas fueron mis palabras, ella permaneció todo aquel día en silencio, y aunque a mí aquella gata nunca me había caído especialmente bien, también lo sentí, nunca me ha gustado interferir más de lo justo en la trayectoria de los animales, me gusta observarlos, sin más, y dejar que sigan su curso, aunque algún día habría que entrar a examinar de una vez por todas qué significan frases como «observarlos sin más», o «seguir su curso», pero sí sentí pena y me sorprendí a mí mismo llevado por reflexiones sobre el sentido de la muerte en general, de mi futura muerte, de la muerte de la gente a la que aprecio, y por añadidura sobre los pensadores que alguna vez habían reflexionado y dejado por escrito algo sobre la muerte, incluso pensé en el destino del Universo, menuda tontería, pensar en el destino del Universo, y todo recuerdo de la gata, sus gestos, su expresión al correr detrás de una mosca, las patadas que le daba al cuenco del agua antes de beber para ver si allí había agua, o una foto que un día le hice por equivocación queriendo retratar la ventana rota de la cocina para dar parte al seguro, todo cobró un sentido especial, por primera vez la gata había pasado a convertirse en un ente con su personalidad, con un estilo de vida propio [es importante construir un estilo de vida propio], en un cosmos autónomo, en un polo magnético que comenzó a atraer hacia sí a otros objetos para dotarlos de vida, objetos hasta entonces tan anodinos como su vida animal, de la misma manera que aquellas notas que estaban en un corcho de una pared en un bar de las Azores clavadas con una chincheta pertenecían a una cotidianeidad, eran tanto como nada, y de repente, diluidas en la mar, eran algo muy distinto, especial [imagino ahora todas aquellas chinchetas que, seguro, permanecen clavadas al corcho, conformando una submarina geografía de azar, una especie de mapa de trayectorias de chinchetas], y muchos meses después de ese viaje a Cerdeña, al regresar a casa aún estaba la palangana de la arena de la gata con sus últimos excrementos, una creación como otra cualquiera, recuerdo que pensé entonces, la muerte, esa combustión que genera dos realidades, el humo que se va y la ceniza que se queda, es misteriosa, y pone en marcha cierto tipo especial de casualidades, hace no muchos años, justo antes de vivir en nuestra actual casa vivíamos en un tercer piso de un barrio muy ruidoso, nuestra vecina de abajo era dependienta en una tienda de ropa, llevaba varios piercing en un ombligo verano e invierno a la vista, era bajita y muy habladora, mucho, no podía encontrarme con ella en las escaleras sin que me retuviera al menos media hora para al final no sacar nada en limpio, estaba casada con un tipo llamado Paco, también muy joven y pequeñito, bastante delgado, que nunca hablaba pero que sonreía amablemente cuando te lo cruzabas, una sonrisa de hombre dócil y es posible que de amargura, este hombre estaba muy enfermo del corazón, había sido sometido ya a varias operaciones, ambos se entretenían viendo los programas del corazón en la tele, escuchando canciones de Mónica Naranjo y cosas así, eran felices, un día dejé de verle y me enteré de que había recaído en su enfermedad cardiaca y que estaba muy mal, con apenas 28 años recién cumplidos ya no salía de casa, no se levantaba de la cama para nada, y un mediodía, tras ver *El Tiempo* de Tele 5, le pidió a su mujer que fuera a la hamburguesería del barrio, El Perro Loco, y le trajera una Big Crazy bien cargada y jugosa, con mucho queso y tomate, ella no accedió a tal disparate, y más teniendo en cuenta que acababan de comer, él insistió, incluso gimoteó, pero nada, su mujer no cedió, esa misma tarde murió, al día siguiente, ella, como queriendo resarcirse de no haberle concedido aquella última voluntad, se puso un vestido negro, fue a El Perro Loco y pidió al chico de la caja una Big Crazy bien cargada, con mucho queso y tomate, mientras esperaba vio que en la chapa de identificación que tenía el chico prendida al uniforme estaba escrita la palabra *Paco,* es a este tipo de casualidades a las que me refiero cuando digo que creo en las casualidades que genera la muerte, y cuando muchos meses después de patear aquella isla regresamos a casa y aún estaba la palangana de la arena de la gata con sus últimos excrementos, pensé que la gata había dejado su última creación de la misma manera que nosotros habíamos dejado algo importante e irrecuperable en aquella isla al sur de Cerdeña, isla a la que habíamos ido a buscar el enclave perfecto, necesario, para acometer el Proyecto, nuestro Proyecto, como nos gustaba llamarlo, porque que todo se parece a otra cosa es una ley universal, es el principio de la mímesis, de la creación tal como la entende-

mos desde que el ser humano ha interpretado y represen-
tado el mundo, y si bien esto es así, también es verdad
que toda creación es autónoma y hasta el género más pre-
suntamente real, el documental, no es real sino «realista»:
emula a la realidad pero es un corta y pega, un producto
de montaje, una construcción, de tal manera que podría
decirse que «ninguna creación es la realidad, sino una representación de la realidad, y como tal representación, es
una ficción», y es ése el merengue que el arte ha estado
batiendo durante siglos en solitario hasta que siguieron su
ejemplo los telediarios, la política y la publicidad, ahora
bien, hay casos especiales, casos que se salen de la norma,
singularidades, diríamos, cosas, objetos, que no se parecen a nada ni a nadie salvo a ellos mismos, de eso me di
cuenta por primera vez a la edad de 18 años, en aquella
época vivía en Santiago de Compostela, estaba en el primer curso de la licenciatura de Ciencias Físicas, y víctima
aún de cierta estética punk evolucionada, llevaba pantalo-
nes ajustados negros que dejaban ver unos calcetines de
color rojo o violeta según el día, cazadora de cuero negra,
un cinturón de tachuelas piramidales de doble fila, calza-
ba unos zapatos que encargábamos por correo a Londres,
de suela muy gruesa y hebilla lateral, denominados bu-
guis, y llevaba en la muñeca izquierda un reloj rosa con la
esfera de Micky Mouse, toda esa clase de parafernalia
producto de lo que se dio en llamar a principios de los
años 80 «la movida», en aquella época yo tenía una vespa
de color negro y una novia rubia, por lo que mi espíritu
postpunk compartía tics con lo mod y lo rocker, y eso era
quizá lo que hacía tan fascinante y pasional aquella posmodernidad tan postiza, yo vivía con mi hermana mayor,
14 años mayor que yo, por las mañanas iba a clase, por las
tardes estudiaba y recuerdo que apuntaba las horas de estudio en un histograma que me confeccionaba con los
días de la semana, por las noches bajaba a un bar que
había justo en el portal de al lado, el Bergantiños, un lu-

gar oscuro, con mesas de formica marrón y sillas a juego, donde siempre había moscas, y que, a falta de nada mejor en aquel barrio proletario y alejado del centro, yo había convertido en un lugar acogedor y especial por esa ley de supervivencia que nos obliga a adaptar lo que tenemos a mano a nuestras fantasías y propósitos, yo había leído ya la autobiografía de Richard Feynman, titulada *¿Está Ud. de broma, Sr. Feynman?*, en la que el genial físico relataba que cuando era profesor en Caltech había tomado la decisión de pedir siempre el mismo postre, flan, para de esta manera evitar el incordio de tener que pensar cada día en la nimia pero desquiciante decisión de elegir un postre, y de esta manera, yo, en mi émulo casero del mítico genio de la física, en aquel bar llamado Bergantiños pedía siempre, sin excepción, una Coca-Cola de botella de 33 cm^3, con una rodaja de limón introducida dentro y bien exprimida, y la bebía a morro mientras veía la masa amarilla y porosa de la piel del limón almibarándose en la botella entre jugos de Coca-Cola, de esta manera ya tenía resuelta la decisión de qué tomar y podía concentrarme directamente en la tele o en escuchar las conversaciones de las otras mesas, casi todas ocupadas con ancianos solitarios y desdentados que farfullaban y de vez en cuando emitían un sonido, todas las mesas eran así menos una, la del fondo, más en penumbra y ocupada cada noche por estudiantes mayores que yo, repetidores que aún leían periódicos como *Mundo Obrero* y hablaban de una revolución siempre por venir la semana siguiente, yo permanecía impasible ante toda la cacharrería teórica y estética de aquellos muchachos, y ellos me observaban como a un marciano recién aterrizado en su Gulag, nos respetábamos, el motivo por el que esos jóvenes frecuentaban ese bar de ancianos era uno y simple: el dueño, Xoan, un hombre que rozaría los 80 años, corpulento, con pelo tupé a lo James Dean, resultaba ser una especie de comunista metafísico ya que, entre otras cosas, afirmaba que había esta-

do en Berlín en el año 71 y que el Muro no existía, llevaba en el meñique de la mano izquierda un sello de oro
con un relieve de la hoz y el martillo también en oro, recuerdo que un día le pregunté, Pero, Xoan, ¿eso de la hoz
y el martillo en oro no es una contradicción?, y él respondió con su característica voz de pena, ¡No, neno, no, tienes que comprender que no!, y no dijo más, otra vez me
comentó muy indignado que el sistema educativo era una
mierda porque al agua ahora la llamaban *hachedosó*, y meses más tarde, ya casi al final del curso, yo quería saber la
programación de televisión, y vi desde lejos que aquellos
estudiantes neorrevolucionarios tenían un periódico sobre su mesa, de modo que me acerqué a pedírselo, demasiado tarde me di cuenta de que el periódico en cuestión
era *Mundo Obrero*, ya no podía volverme atrás, les dije,
¿Sale ahí la programación de la tele?, y con la mirada fija
en mis ojos pintados de negro, como pensando si iba en
serio o les tomaba el pelo, uno dio una calada al Celtas sin
filtro y contestó mientras despedía el humo, No, chaval,
no, aquí no sale la programación de televisión, y tras un
breve silencio regresé a mi mesa, continué viendo *Miami
Vice* en la Grundig mientras echaba tragos a la botella de
Coca-Cola, y fue ese día en el que me quedé observándo-
la, su líquido oscuro, el submarino de limón dentro, y
pensé que aquel sabor, aquel mejunje que tenía en mi
boca no se parecía a nada conocido antes por la civilización, no era como otros refrescos, que recuerdan a frutas
o especias, una mímesis de algo, no, la Coca-Cola no se
parecía a nada salvo a sí misma, no cumplía el principio
aquel de la mímesis que regía en el arte, en la publicidad,
en los telediarios, en mi vestimenta, en la vestimenta de
aquellos neorrevolucionarios que leían *Mundo Obrero*, en
efecto, era como una creación desde una nada simbólica,
y eso me pareció un salto evolutivo y definitivo en la Historia de la humanidad, el primer producto realmente ficticio de alimentación, y éste, el de la Coca-Cola, era el

caso especial del que antes hablaba, el primer producto de consumo realmente producto de nada, algo creado por la propia necesidad de consumir un objeto sin filiación ni raíces, un objeto nuevo de verdad, consumismo en estado puro, como ocurre con las parejas, que te enamoras de alguien, lo consumes, te consume a ti, y pasas a otra, y esto es así, es tonto juzgarlo bajo criterios morales, simplemente es, siempre he huido de los criterios morales, especialmente en el ámbito de la creación artística, me causan estupor los artistas que creen que poseen la moral justa y la pregonan con sus obras, hay que ser muy petulante para creer que tú posees el sentido de lo verdaderamente justo y que tu vecino no, siempre he intentado escribir de una manera totalmente amoral, como la Coca-Cola, sin raíces morales manifiestas, quizá por eso me gusta Norteamérica, porque, como yo, son paletos, carentes de filiación y de mochila histórica pesada a la espalda, un estar siempre de turista en tu propia vida, por eso también comparto al 100% las palabras del artista John Currin cuando dice que él va al Museo de Arte Moderno de Nueva York, está 10 minutos y ya tiene suficiente porque más tiempo allí le impide progresar como artista, hay que considerar la Historia como un gran supermercado, sí, esa frase me gusta, la Historia como supermercado, me la tatuaría si no odiara tanto los tatuajes, y esa forma de narrar amoralmente, documentalmente, no me la dio la literatura, sino una película que casualmente vi a principios de los 90 y que me indicó el camino, *Hana-Bi*, del japonés Kitano, una forma de narrar en la que el único criterio a seguir es la respiración del propio lenguaje, cosa que poco después descubrí en un libro fascinante llamado *Centuria*, de Giorgio Manganelli, y cosa que corroboré mucho tiempo después cuando, la noche que la conocí a ella, esa mujer que tenía ahora delante en un bar de una isla al sur de Cerdeña que se parecía a otro de las Azores, le puse en su pecho un fonendo que un amigo médico se había dejado en mi casa, y en sus pulmones oí cosas que puedo asegurar que eran voces, voces que se creaban desde la nada, desde el caos ruidista de su respiración, unas voces que, yo sabía, me indicaban una forma muy determinada de narrar, sin raíz, rizomáticamente, Es cierto, hay cosas que son imposibles de narrar, le dije a ella en aquel bar de aquella isla al sur de Cerdeña que se parecía a otro bar de las Azores, Por ejemplo, nunca escribo sobre sexo, quiero decir que nunca describo una escena de sexo con la pretensión de hacer sentir al lector lo más íntimo de esa escena de sexo, y no por criterios morales ni estéticos, sino porque lo considero absurdo, le dije, Porque con el sexo ocurre lo mismo que con los sueños, son irrepresentables, nunca quedan bien llevados al papel o a la pantalla, siempre parecen falsos o ridículos, o cutres, o triviales, o risibles, o infantiles, se mire como se mire es imposible narrarlos por la sencilla razón de que ambos, sexo y sueños, son los actos más limítrofes de la expresión humana, lugares donde ya no estamos en nosotros, y eso los convierte en los actos más importantes del ser humano pero también en los más lejanos e incomprensibles, eso es lo que hace que intentar recrearlos equivalga a caer en el ridículo, pueden describirse, sí, como lo hace el cine porno con probada honradez, o como se cuentan los sueños ante un psicoanalista, pero no recrearlos, le dije, y en ese sentido se parecen mucho a la Coca-Cola, sólo se parecen a sí mismos, y entonces ella, en aquel bar que se parecía mucho a otro de las Azores, sin quitarse las gafas pop-star que le ocultaban los ojos, me dijo, Siendo así, entonces la Coca-Cola ya se parece a algo más que a sí misma: se parece a los sueños y al sexo, tiene con ellos eso en común, ¿no?, y yo, a la espera de encontrar un contraargumento más o menos convincente cambié de tema, y por tampoco entrar en el asunto de nuestro Proyecto, nuestro gran Proyecto, el que nos había llevado hasta allí, hasta aquella isla al sur de otra isla llamada Cerdeña y de carambola a aquel bar que se parecía a otro de las Azores, ese Proyecto que ambos habíamos estado evitando desde que habíamos desembarcado a pesar de haberlo pergeñado detalle a detalle, a pesar de haber constituido ese Proyecto el centro de gravitación de nuestras vidas todo el año anterior, verano e invierno en nuestra casa, centro de gravedad del que sólo éramos simples satélites movidos por su fuerza, por no entrar tampoco en ese asunto de nuestro Proyecto, decía, le comenté algo respecto a los días anteriores a ese día, mejor dicho, los meses anteriores a ese día en ese bar en el que ahora nos encontrábamos y que se parecía mucho a otro bar de las Azores, y es que recién llegados a la isla, nos habíamos puesto a buscar en un coche alquilado la ubicación ideal que sirviera para nuestros propósitos, para nuestro Proyecto, el lugar donde poner en marcha todo nuestro plan, ese increíble y gigantesco plan que un poco a ciegas nos había llevado finalmente allí, y entonces le comenté algo acerca de aquel lugar al que nos habíamos dirigido nada más desembarcar y arrancar el coche en la isla, un lugar de típico veraneo, una pequeña península llana ubicada en unas marismas donde corrían las garzas y se elevaba vegetación legalmente protegida a un lado, y sombrillas, motos de agua y chiringuitos de playa con música atronante al otro, habíamos tomado un apartamento, decoración neutra y funcional, correcta, con los suelos gastados de tanta sal y tanta arena de playa, estuvimos 6 días bañándonos por la mañana y bebiendo vino blanco frío por la noche, y sin hablar ni un solo momento de nuestro Proyecto, de nuestro cometido en esa isla, un campo de fuerzas muy intenso nos obligaba a tomar decisiones vagas, perezosas, había pura calma en la línea de horizonte, como si fuera aquello un anticipo inverso del Proyecto, nuestro Proyecto, como nos gustaba llamarlo, Proyecto que, sabíamos, tarde o temprano deberíamos acometer, esos días fueron fantásticos, como días de cumpleaños y noches de reyes, hacía-

28

mos el amor en todas partes, dormitábamos hasta cualquier hora y comíamos a deshoras, como si los días fueran una sucesión de momentos resueltos en escenarios descartados de una fotonovela venezolana a veces, y otras de un videojuego, de repente éramos adolescentes, incluso niños, volvíamos al único paraíso que existe, la infancia, aquel en el que el tiempo está por construir y por lo tanto es infinito, ese paraíso que ya de mayores reconstruimos en cada día de asueto, en cada periodo vacacional, malas recreaciones de aquel espacio infantil, para eso trabajamos 11 meses al año, para ser niños el mes número 12, pero esa vuelta a la infancia y a la adolescencia con tanta intensidad no era nueva para nosotros, ya otras veces nos había ocurrido, hacía 4 años habíamos ido de viaje a Tailandia, un país que a mí no me seducía en absoluto y que se me antojaba, como todo país que detente una bandera, absurdo y carente de interés, una vez allí pasamos unos días en Bangkok antes de meternos en un bus que nos llevó tras 12 horas de viaje a Chiang Mai, una ciudad de unos 200.000 habitantes situada al norte, y lo cierto es que, en contra de mis sospechas y convicciones, todo era placentero, paradisíaco, nada podía presagiar lo que allí, en Chiang Mai, se nos avecinaba, un desastre que en cierto modo cambió la forma que yo tenía de entender ciertos aspectos del mundo, y que, además, propició una casualidad que excedió al propio desastre, yo, ya lo he dicho, creo mucho en las casualidades, con los años he llegado a creer que todo lo verdaderamente importante en la vida se origina en las casualidades, por ejemplo, al año siguiente de ir a Tailandia, me tocó presentar un libro llamado *La brújula,* de un escritor llamado Jorge Carrión, esto es un extracto de lo que leí en aquella presentación:

... ahora me permitiréis que cuente una anécdota personal, una anécdota que ni nuestro autor, Jorge Carrión, ni nadie conoce; absolutamente nadie. Me remonto al verano de 2004, julio. A mí no me gusta viajar, mis amigos lo saben; no obstante cometí la torpeza de ir un mes a Tailandia. (Algo importante que quiero decir es que pocos días antes de partir yo había comenzado a tomar unas notas, creativas, que califiqué como raras, y que no tenía ni idea adónde me llevarían.)

A los 4 días de iniciar el viaje, hallándonos mi compañía femenina y yo en una ciudad del norte llamada Chiang Mai (dicho sea de paso, con un ambiente muy a lo *Blade Runner:* puestos de venta en la calle como chabolas entre altos edificios y siempre lloviendo), ese cuarto día, decía, por la noche, nos atropelló una moto mientras cruzábamos un quimérico paso de peatones. Salimos por los aires. Vimos al piloto escapar entre una de aquellas chabolas de souvenirs. Ella salió más o menos ilesa, pero yo me rompí la cadera, diagnóstico confirmado no por los médicos de allí, quienes me dijeron que no tenía nada, sino por unas cuantas llamadas telefónicas a traumatólogos de España que eran familiares o amigos. Fueron ellos quienes me aconsejaron que estuviera en estricto reposo, tumbado en el hotel, durante los 25 días que aún me quedaban en aquel país. Así las cosas, mi vida se redujo a una cama de hotel, una ventana por la que se veía la ciudad, mucho calor, mucho aire acondicionado, mucho dolor, muchas pastillas, y en torno a la cama botellas de agua, el mando a distancia de la tele y poco más. Mi chica iba y venía cada día con comida que compraba en los chiringuitos mientras yo miraba por la ventana, como en *La ventana indiscreta* de Hitchcock, donde Grace Kelly le trae comida y revistas a James Stewart. A mí ella no me traía revistas, porque yo, previsoramente, ya había llevado algunas para el viaje, así como algún que otro libro, esos que en casa nunca lees pero que en los viajes, con la tontería de la novedad, crees que te apetecerán. Una de las revistas que me llevé era el último número de *Lateral,* una publicación para la que yo de vez en cuando escribía algún artículo de divulgación, y en la que había un cuadernillo especial de «cuentos de verano». A muchos autores de esos cuentos yo no los conocía, pero cuando uno está muy lejos de su casa, y su futuro inmediato es incierto, se genera una especie de angustia que en parte es paliada por las cosas que nos son familiares como, por ejemplo, una revista que has comprado en el kiosco de tu barrio, el cual recuerdas con especial reverdor. Como imaginaréis, a falta de otra cosa que hacer, leí muchas veces aquellos cuentos de *Lateral* y escribí también mucho continuando con aquellas notas dispersas que traía de España y de las que os hablé al principio. Cada día, invariablemente, a las 6 o 7 de la tarde llovía, y yo leía, veía en la tele especiales de la historia del surf del canal Fox, y escribía.

Había entre todos aquellos cuentos uno de un autor a quien yo no conocía de nada, que me llamó mucho la atención, se llamaba «Brasilia es nombre de gata ciega», estaba escrito de una forma extraña, casi feísta, pero poseía cierto atractivo. En él, el autor describía cómo llegaba a Brasilia, cómo se instalaba en casa de unos amigos, cómo percibía la ciudad desde una ventana (o yo lo quise imaginar así), y aunque él salía y pateaba las calles, siempre describía todo como si lo viera desde una ventana, con una distancia tierna y simultáneamente científica; me sentí muy identificado con aquel autor en esos momentos. Yo, junto a mi ventana, continuaba escribiendo, desarrollando aquellas notas. También en esos momentos me di cuenta de lo felices que son los enfermos, que no hacen nada. Y fue gratificante también comprobar cómo iban creciendo, tomando cuerpo, mis notas. Me quedé sin papel, escribí en esas libretitas que hay para apuntar chorradas junto a los teléfonos de los hoteles, en los márgenes de mis libros, en las servilletas, en los billetes de avión de vuelta, y finalmente en aquel mes vi que tenía en mis manos una novela, a la que por motivos que ahora no hacen al caso llamé *Nocilla Dream,* y que se editará muy pronto. Un 28 de julio me metieron en un avión. Muchas cosas quedaron en aquella habitación, unos bolis mordidos, una camiseta naranja de manga corta que decía «Bruce Lee, a retrospective» (eso me fastidió), la guapa sirvienta tailandesa que cada día me venía a hacer la cama y se sonrojaba, y un par de revistas, una de ellas aquel número especial de *Lateral.* ¿Alguna vez habéis pensado dónde van todas esas cosas que la gente se olvida en los hoteles?

Pasó el tiempo, en concreto, un año y nueve meses, y ya en mi casa, habiendo olvidado todo aquello y totalmente recuperado, recibo un e-mail de una persona que dice ser el autor que ahora mismo tengo sentado a mi izquierda, un tal Jorge Carrión, y no tengo ni idea de cómo llega a mí. Me dice que ha editado un libro llamado *La brújula,* y que si lo puedo presentar hoy y aquí, en Palma. Digo que sí, y cuando me llega el libro compruebo con gran asombro que ese autor era aquel que me acompañó en mi ventana de Tailandia con su cuento «Brasilia es nombre de gata ciega», y que ese cuento, además, está contenido en ese libro, en este libro que hoy presentamos, y además que ese cuento no era un cuento, sino una experiencia muy fiel a la realidad que el autor vivió en Brasilia. Pensé entonces que el azar es fantástico y que, quizá, vivir ya de por sí sea un exceso (...)

y es a ese tipo de casualidades a las que me vengo refiriendo, casualidades que, como las paradojas y la entropía, tejen vida, y todos aquellos días de relajo y playa a nuestra llegada a Cerdeña, 6 días para ser exactos, todo aquel paraíso de infancia a escala tenía ese sabor de lo que no tiene historia, ni por lo tanto esa tradición y esa occidental mochila a la espalda tan pesada a la que me venía refiriendo, días de burbuja playera que por una especie de ley antisimétrica parecían tanto más eternos cuanto más planeaba sobre nuestras toallas, sobre nuestros zumos de piña, sobre nuestros baños, sobre nuestros gin-tonic, sobre nuestro sexo, sobre todo, la sombra de aquello que verdaderamente nos había llevado hasta esa isla, nuestra misión, nuestro Proyecto, como nos gustaba llamarlo, y sobre el cual aún no habíamos cruzado una sola palabra desde nuestra llegada, así que una mañana, tras engullir el desayuno bufet, uno de los dos dejó la servilleta sobre la mesa con gesto resolutivo y dijo, Hay que ponerse en marcha, y esa misma mañana yo metí el escaso equipaje de ambos en el asiento de atrás del Lancia alquilado: mi maleta de piel, la suya de ruedas y su bolsa de hipermercado con exactamente 107 bragas recién compradas, y ella reservó el maletero únicamente para la funda rígida de guitarra eléctrica que había traído sólo por disimular, y digo que sólo por disimular porque dentro no se alojaba guitarra alguna sino todo lo necesario y referente a nuestro Proyecto, ese cuya preparación nos había tenido absortos y a efectos prácticos fuera del mundo todo el año anterior, una funda de guitarra que le había regalado yo, años atrás, pero con una Gibson Les Paul negra de raspador blanco en su interior, guitarra que ella nunca tocó, guitarra a la que nunca le hizo sonar un solo acorde, se había encaprichado de ella en una ocasión en que, de Málaga a Madrid, dimos un rodeo por Albacete y, en una estación de servicio en la que paramos a repostar, ubicada en una especie de desierto, oímos unos acordes que venían de la caseta del gasolinero y que sólo cesaron en el momento en que toqué el claxon 3 veces, había salido entonces un chico joven, que de cerca no lo era tanto, de pelo corto a la taza y Adidas Campus, y nos sirvió la sin plomo sin decir más palabras que, ¿Cuánto?, ella entonces fue a los lavabos y al pasar por delante de la caseta la vio, de pie, apoyada en un amplificador Peavey, negra, brillando al contacto con la luz que entraba por la puerta, le pareció preciosa, al salir le preguntó al chico, ¿Qué haces ahí con esa guitarra?, y él respondió con desgana, Hago discos, sólo dijo eso: «Hago discos», y antes de arrancar volvimos a escuchar los acordes, hasta que los disipó la distancia, y ella, subiéndose las gafas de sol [creo que fue en aquel viaje donde se compró sus gafas de sol], me dijo que le encantaría tener una, y se la regalé en su siguiente cumpleaños, su 34 cumpleaños, con una funda negra rígida e hidrófuga «para cuando los rockeros caminan bajo la lluvia», había dicho el de la tienda donde la compré guiñándome un ojo, y forrada por dentro de una imitación de terciopelo morado, la misma funda de guitarra en la que ahora ella traía todo lo necesario para acometer el Proyecto, nuestro Proyecto, un auténtico laboratorio con esa instrumentación que durante todo el invierno habíamos escogido e incluso diseñado nosotros mismos con total cuidado, éramos el binomio perfecto, el sofá biplaza que cualquiera quiere poseer, y así, sin hacer plan de ruta alguno, nos pusimos en marcha con la resaca aún de aquellos 6 días libres de preocupaciones y neutros, técnicamente planos, fructíferos, días antitéticos a la vida que nos esperaba a partir de ese momento, y no nos importaba ese radical cambio de rumbo y estilo, una vez habíamos leído una frase de Andy Warhol, «es tonto que alguien sienta que se

34

traiciona a sí mismo por cambiar de estilo. Uno debería poder ser hoy artista abstracto y la semana siguiente figurativo, o pop», frase que suscribíamos al 100%, salía en un libro suyo que era para nosotros una de las cumbres no sólo de la honradez sino de la profundidad intelectual, *Mi filosofía de A a B y de B a A,* un libro que poníamos a la misma altura que el *Diccionario filosófico* de Voltaire, o incluso que el mismísimo *Mil mesetas* de Deleuze y Guattari, y así, de forma extraña y ambidiestra, arrancamos hacia el sur de la isla de la misma manera que un día Bonnie and Clyde desenfundaron sus armas, con un Proyecto que sudaba y respiraba en una doble oscuridad: la oscuridad de una funda de guitarra rígida que a su vez reposaba en la oscuridad del maletero de un Lancia, y esa doble imagen, esa duplicidad, a mí me volvía loco pero a ella le daba paz, y pronto comenzamos a meternos por carreteras de montaña cercanas a una costa que no se dejaba ver, hacía calor, ganábamos altura pero, por un efecto que no nos explicábamos, cuanto más subíamos menos posibilidades teníamos de ver el horizonte marino, ni siquiera un mástil ni, por supuesto, la línea de costa propiamente dicha, y la vegetación, por la misma regla de 3, o quizá por otra más compleja, se iba volviendo más hirsuta, más baja, más garriga y conejera, más de animales a ras de suelo, de galerías en tierra, a veces llegábamos a una aparente cima que era un altiplano que podría considerarse a todos los efectos infinito, y sin embargo oíamos el mar, Creo que es el viento, decía ella, y después la carretera aún se complicaba más, estrechándose hacia otros cerros que más tarde descendíamos súbitamente, y aunque era la primera vez que pisaba esa tierra a mí me parecía que todo aquello ya lo había visto, y de alguna manera esa figurada repetición me daba confianza, así como cierta seguridad en que mi mente nunca iba a resbalar hacia la extrema indolencia en que ella y yo habíamos caído ya en otras ocasiones, porque yo era el capitán de aquel barco, pensé, y si me mantenía fuerte nada malo podría ocurrirnos, pasamos así un par de horas, sin ver casa o construcción alguna, era un paisaje vulgar, sin más, que de súbito comenzó a descender de manera muy pronunciada hasta que el asfalto se adentró en un bosque de eucaliptos, lo que era señal inequívoca de que por allí habría un camping o algo que recordara a cosa civilizada, esta situación se prolongó en unos 10 kilómetros de descenso muy virado, hasta que el bosque desapareció de golpe para dar paso a una especie de jardines asilvestrados con vestigios de columpios, cajones de arena de juegos de infancia y cosas así, lo que nos llevó de frente hasta una especie de barrera metálica, como las que hay en las fronteras o aduanas, de listas blancas y rojas, partida y oxidada, que yacía atravesada en la carretera, el Lancia botó levemente cuando la pisamos y a ella se le movieron los pechos, no era un truco, se le movieron, de inmediato apareció una recta que daba directamente al mar, y una playa vacía, y mirando a la derecha, ya en la misma línea de costa, se alzaba un edificio de cemento, muy grande, fuera de toda escala previsible, un bloque de base rectangular, prismático, con muchas ventanas, todas idénticas, y que ya habíamos divisado en el horizonte, kilómetros atrás, cosa que nos había hecho presagiar la existencia de habitaciones libres y mala comida de hotel, un lugar donde reorganizar la logística de nuestro Proyecto, donde dar los últimos toques a detalles y percatarnos de flecos no pensados, pero cuando nos pusimos bajo el edificio comprobamos que estaba abandonado, mejor dicho, desmantelado, las persianas, unas medio abiertas, rotas otras, dejaban ver un interior vacío, un esqueleto donde destellaba la luz del sol, que entraba sin obstáculo, la puerta principal conservaba parte de un inmenso cristal grafiteado en el que ni te reflejabas ni podías ver lo que escondía, de las ventanas de los últimos pisos salían unas lenguas de hollín por la fachada hasta el tejado, signos inequívocos de lo que habían sido llamas, un edificio hiperracionalista, con ese aire de dulce sarcófago que tienen los hoteles de costa en invierno, entonces ella me llamó la atención sobre unas grandes letras que se inscribían en lo alto de una fachada lateral, decían en italiano, «Centro Recreativo del Estado. Año Fascista 1938», un campo de juegos que, sin duda, Mussolini había levantado para sus cachorros, los desmesurados volúmenes cúbicos llamaban tanto a la quietud de la idea platónica y a los paisajes de los cuadros de Chirico, como a la excitación vital y perversa de lo que detenta el poder absoluto, y todo aquel efecto era una cuestión de proporciones, mejor dicho, de desproporciones, y meses después de haber encontrado ese edificio, sentados en aquel bar de esa misma isla al sur de Cerdeña que se parecía mucho a otro de las Azores, al que habíamos entrado a comer algo, a ver rodar los papeles entre los coches en el muelle, a observar la llegada de los barcos, a nada, minutos antes de conocer la muerte de la gata, yo le había hablado a ella también de las proporciones en general, de su importancia para mi estabilidad, Quizá toda persona inestable lo sea porque ha caído en algún error de medida, le dije, y le confesé una secreta manía, manía que a pesar de años de convivencia ella nunca había sospechado: mi necesidad de dormir en camas que tuvieran las mismas proporciones que una hoja DIN-A4, las mismas medidas a escala, Ésa es la única manera que existe de que el descanso sea plano, reflectante a pesadillas inducidas por desajustes entre el ancho y el alto de la cama y, por extensión, del resto de cosas, también es la única manera de poder escribir, le dije, y ella se rió en aquel bar de aquella isla al sur de Cerdeña que se parecía mucho a otro de las Azores porque aún faltaban 2 minutos para recibir la llamada de nuestro amigo comunicándonos la muerte de la gata, aún no sabíamos nada de esa muerte, y mientras ella se reía recordé que pocos meses atrás habíamos arrancado el coche para dejar atrás aquel edificio desproporcionado, el «edificio fascista», como lo llamaríamos a partir de entonces, edificio que como todo lo excesivo ejerció sobre nosotros una fuerza telúrico-estética que nos llevó a tratar de olvidarlo en la misma medida en que nos resultaba imposible, esto ya nos había ocurrido años atrás con otra construcción fascista, se trataba de un hotel en Cabo de Gata en fase de construcción, justo al borde del mar, una construcción blanca, levantada en la misma playa y dispuesta en escalones como la proa de un trasatlántico varado y precioso, el lugar ideal, sin duda, para retirarse un año a pergeñar, concebir, darle vueltas hasta la extenuación noche y día a un proyecto como el nuestro, un lugar para crear un proyecto que excediese al propio lugar, lamentablemente lo van a derribar debido a las presiones ecologistas, hay una especie de ley universal que afirma que todo fenómeno fascista necesita de otro fascismo de su misma medida para derribarlo, esto es así, y lo es porque no puede haber litigio ni guerra entre dos fuerzas que no sean idempotentes, y nos alejamos de aquel edificio que Mussolini había erigido para sus cachorros, nunca llegaríamos a entender muy bien el porqué de aquel mastodonte, su cometido original, y mucho menos el actual, no lo encontramos catalogado en parte alguna, ni hablaban de él los mapas ni los libros de historia de la zona, ni mucho menos las guías turísticas, nada, aunque lo cierto es que no buscamos esa información con más esfuerzo que el justo para dejarlo en suspenso, y desandando lo andado ya todo lo visto resultó familiar, llevadero, hasta que cogimos otro desvío que no modificó en absoluto el paisaje ni el rumor de un mar siempre invisible, pero que nos llevó a una zona de playas que parecía aquella en la que habíamos permanecido durante 6 días entre émulos de infancia, pero ésta era más áspera y circunspecta, comenté que los bañistas en la arena parecían muñecos de cera, fue ahí cuando ella, inopinadamente, extrajo de su bolso el porta CD, grabaciones piratas en su mayoría, y al minuto comenzó a sonar en el lector del coche un tema de Broadcast, que medio tarareó mientras pasábamos por delante de chiringuitos y apartamentos abalconados, donde ropa de playa permanecía colgada a secar como banderas de estados o micronaciones, un poblado en el que paramos a comprar agua y fruta, sólo eso, un poblado en el que vimos un cine ambulante que proyectaba esa noche una película de Disney, no recuerdo cuál [ahora me resulta curioso que jamás haya visto una película de Disney], un poblado tras el que, nada más tomar su carretera de salida, todo el paisaje, y con él nosotros, volvía a lo mismo, preguntándonos ella y yo entonces si todas aquellas personas tiradas en la playa y encajadas en los barracones eran, igual que nosotros, buscadores de lugares donde erigir proyectos, personas que de tanto dar vueltas habían decidido quedarse ahí para siempre, quizá vivieran de lo que pescaban, pensé, y de nuevo, mientras en el CD la voz de una cantante rodaba, volvimos a rodar entre un desagradable olor a romero, a mirto, 35ºC a la sombra, el sonido de un mar sólo intuido, nos sentíamos cansados, un haz de aire entraba por las ventanillas, ráfagas que refrescaban nuestras caras, por zonas amoratadas, ella vestía un bikini, un excelente dos piezas que había comprado en Las Vegas 2 años atrás, una noche de domingo, un dos piezas que resumía su fascinación por esa ciudad, tan pueblerina, decía siempre ella, nunca falta algo que comprar, nunca faltan tiendas abiertas, y sin embargo, cuando te separas de su calle principal, el Strip, esa gran vena de asfalto y luces que atraviesa la urbe en dos, adquiere un aspecto de rancho y neones cansados, de polvo de desierto mal digerido, algo que se encargó de recordar ella sentada en aquel bar de aquel pueblo de una isla del sur de Cerdeña que se parecía mucho a otro de las Azores, un bar al que habíamos entrado a comer algo, a ver pasar los barcos, a ver los papeles moviéndose entre los coches, a nada, Sí, me dijo a través de sus gafas de sol pop-star, de la misma manera que si el alga posidonia se muere entonces se muere el Mediterráneo, si se hunde Las Vegas se hunde el desierto que la circunda, se hunden todos los desiertos, y con ellos mi bikini, ¿es así o no es así?, dime, ¿es así o no es así?, y yo asentí pensando que todo aquello, nuestro Proyecto, la estaba afectando, que sus comentarios cada vez eran más, aunque lúcidos, deshilados, no sé, bebí agua carbonatada, vi pasar un balón rodando junto al amarre de un velero, después a un manco que miraba una gaviota, después a otro manco que parecía tener prisa, mientras ella continuaba argumentando que el paraíso musulmán no es el cielo sino Las Vegas, el vergel de mujeres bien dimensionadas, felicidad sin The End y agua cristalina en mitad del desierto que se les promete a los musulmanes en la otra vida si en ésta han sido buenos, y poco más tarde, ya al mediodía, salimos del bar con la noticia de la muerte de la gata, y paseamos por el muelle en silencio, viendo los barcos, las redes, los adoquines mal encajados en la misma medida que en nuestros cerebros de repente todo estaba por encajar, y todo era como ajeno a nosotros y nosotros ajenos a todo, película de super-8 en la que el mundo se mueve tembloroso, a hachazos, nosotros éramos el silencio, su silencio, el silencio entre temblor y temblor, entre fotograma y fotograma, entre hachazo y hachazo, ella con la funda rígida de guitarra en su mano izquierda, que contenía todo lo referente a nuestro Proyecto, nuestro Gran Proyecto, como nos gustaba llamarlo, y yo con las manos en los bolsillos, paleto, muy paleto, como decía aquel LP de Belle & Sebastian que el año anterior habíamos escuchado a todas horas mientras también a todas horas gestábamos el Proyecto, nuestro Proyecto, ambos en silencio, el silencio es importante, todo creador lo sabe, se dice más con lo que se calla que con lo que se enuncia, un buen cuadro, un buen poema, una buena casa, una buena teoría científica están armadas en torno al silencio, a ritmos de silencio [del denominado *arte de la escultura* no hablo porque es la actividad más absurda que puede abordar una persona junto con el punto de cruz], el silencio más importante para mí es aquel que llevó a cabo un pensador de la primera mitad del siglo 20 llamado Ludwig Wittgenstein [parecido a aquel otro de Warhol a partir de que le pegaran un tiro], quien al final de su obra afirma que ésta no vale nada salvo para saber que una vez llegados a ese punto hay que tirarla, que lo importante viene después de esa obra, con el silencio, pero hay otros silencios en apariencia más modestos, sólo en apariencia, por ejemplo, de adolescente, me resultaba imposible leer cómics, no los entendía, no conseguía seguir la historia, los compraba, sí, lo intentaba, incluso hasta dibujaba yo mismo historias para ver si así entendía el secreto de su mecánica, pero nada, hasta que un amigo dibujante, Pere Joan, me dijo que lo importante en el cómic es saber leer el espacio en blanco que hay entre viñeta y viñeta, Ese silencio es el que has de aprender a leer, me había dicho, Ahí está todo lo que has de entender, con esas palabras me lo dijo, y desde entonces leí cómics, no soy un experto, en realidad no sé nada de cómics, el que más llegó a gustarme es un manga llamado *Arukihito* (El caminante), en el que un hombre no hace nada y ahí radica su interés, en esa neutralidad, un oficinista que en sus ratos libres pasea por la ciudad vestido con su traje y observa sin afectación alguna todos los detalles, era ése el silencio, el de ese hombre que ya no hace nada porque en realidad palpita bajo él toda una civilización, el silencio que a ella y a mí se nos revelaba en aquel otro paisaje de montaña que bordeábamos en coche meses antes de llegar a aquel bar que se parecía otro de las Azores, cuando conducíamos en aquella misma isla pero hacia latitudes opuestas a la caza del lugar donde acometer nuestro Proyecto, ella con un bikini comprado en Las Vegas y yo con un Lucky entre los dedos de la mano izquierda, era ése también el silencio fuera de escala del desmantelado «edificio fascista», como nos gustaba llamarlo, era ése el silencio de los últimos excrementos de la gata, que permanecerían en su arena perfumada con una soledad de turista en una playa en invierno, sí, habíamos sido llamados allí para ver todo aquello, para contemplarlo, para poder entender el verdadero significado de las palabras gato, bikini, muerte, organismo, Coca-Cola, excremento, Proyecto y silencio, sí, sobre todo silencio, si es que tales palabras tienen significado alguno, pero me di cuenta al momento de que también habíamos sido llamados allí para comprender el significado de la palabra Las Vegas que, como los bikinis, tiene un barrio alto: las cámaras de seguridad que día y noche te observan, y un barrio bajo: las máquinas tragaperras, sólidamente atornilladas al suelo, y llegas a Las Vegas, quizá la mejor ciudad del mundo para vivir, con su poética de la moneda, esa que afirma que el dinero es pura poesía porque en cualquier moneda, por humilde que sea, se concentran millones de posibilidades de compra, de productos y sueños, de la misma manera que en un verso se concentran millones de metáforas, de relecturas, esa ciudad con sus laberintos conectados por aceras mecánicas, con sus cámaras de vigilancia emitiendo miles de residuos de imágenes al desierto, a la enjuta nada, y te das cuenta de que algo absolutamente diferente ocurre allí, algo totalmente diferente a esas revistas para mujeres vegetarianas y padres de familia de monovolumen, sí, a veces uno piensa que Las Vegas es ese producto de consumo felizmente adulterado, que genera paradoja, entropía, vida, una botella de Coca-Cola con un limón dentro, una magdalena de Proust no horneada por su sirvienta sino manufacturada, con conservantes y colorantes, o una rebanada de Nocilla, con su aspecto de carne, de materia y espesor, y en aquel bar de una isla al sur de Cerdeña, intenté recordarle a ella la extraña época en la que la había conocido, 7 años atrás, cuando yo estaba varado, tomando alimentos que si bien no dejaban que me hundiera tampoco dejaban que mi barco avanzara, permanecía estático y extático, sólo veía la estructura teórica de las cosas, incluso de los sentimientos, el esqueleto, como si de pronto desaparecieran los neones, las pantallas y paredes de los hoteles de Las Vegas y quedaran al descubierto únicamente las cañerías y el cableado eléctrico, una aparente puridad llena de polvo, pelos, suciedad, ratas, monedas rotas e insectos, eso es lo que era mi vida 7 años atrás, y un día me encontré comiendo una rebanada de pan con Nocilla que ella misma me había preparado, y pensé en la fascinación que ejercía sobre mí toda esa pastosidad que se hormigonaba en mi boca, toda la antimetafísica que recorría aquella masa sin centro de gravedad definido en mi boca, toda aquella cosa marrón que sólo era espesa piel en una rebanada, superficie, apariencia, simulacro, lo que quieras, le dije a ella en aquel bar de una isla al sur de Cerdeña, y que era también residuo, excremento, conservantes y saborizantes que, por pura paradoja, generan vida, fue así, gracias a una rebanada de Nocilla, como llegué a renegar de la metafísica, como llegué a mi salto evolutivo, el verdadero salto, porque nuestros actos parecen analógicos, y probablemente lo sean, pero a efectos prácticos son digitales, van a golpes, a saltos de viñetas de cómic, de silencios que vamos dejando en medio para poder interpretarlos, saltos de bikini, dos piezas, arriba y abajo, como el silencio casi definitivo en aquel bar de una isla al sur de Cerdeña que era idéntico a otro de las Azores y al que habíamos entrado a comer algo, a ver pasar los barcos, a ver los papeles moverse entre los coches, a nada, ese bar en el que estaba muy presente la única verdad: que todos aquellos meses habían sido un ir dando tumbos en busca del lugar ideal donde erigir nuestro Proyecto, una fatigosa y casi diría que estéril búsqueda, como una imposible programación de TV en el periódico *Mundo Obrero,* como cuando uno busca un lugar donde echar gasolina en un desierto de Albacete y se encuentra una Gibson Les Paul y una funda de guitarra rígida e hidrófuga «porque los rockeros a veces caminan bajo la lluvia», había dicho el que me la vendió guiñándome un ojo, uno se busca a sí mismo pero en mujer y se encuentra con su antagónica, una mujer busca matar el tiempo en Las Vegas y se encuentra una madrugada de domingo con un bikini que lleva dos margaritas estampadas en cada pecho, uno busca matar el tiempo en Las Vegas y en una librería se da de morros con un libro que se llama *La música del azar,* de un escritor norteamericano llamado Paul Auster, traducido al idioma portugués, paseas cargado de bolsas de ropa recién comprada y te paras en un escaparate, y ves libros escritos en lenguas que desconoces, pero aun así los rastreas con la mirada y te fijas en uno, sólo en uno, y ya está, ya no hay forma de escapar, hay que comprarlo aunque esté en un idioma desconocido para ti, hay que comprarlo porque reposa en un atril de luces con forma de Torre Eiffel en miniatura, y además en su portada se reflejan las luces de la Torre Eiffel a escala que corona el hotel que tienes a tu espalda, hay que comprarlo aunque sepas que jamás lo leerás, que probablemente ese libro pasará el resto de tus vacaciones metido en una maleta, aunque sepas que lo dejarás sobre la mesilla de noche de la habitación del hotel, intacto, sin abrirlo, exhibiendo en su portada su título vulgar, *La música del azar,* un título tan escolar, pero da igual, hay que comprarlo, porque de repente ya es un polo magnético de tu deseo, hay que comprarlo aunque sólo sea por compasión, por solidaridad, por crear puestos de trabajo, por no ser egoísta, por seguir manteniendo ese hongo de luz en mitad del desierto que es Las Vegas, y así, cuando paseaba por esas calles a las tantas de la madrugada y vi aquel libro de aquel hombre norteamericano llamado Paul Auster, autor del que nunca había oído hablar y del que ni mucho menos conocía ese libro, tuve que comprarlo aunque fuera para tenerlo sobre la mesilla de noche hasta que los días me indicaran que había que ponerlo en el lote de *no leídos* de la estantería de casa, y por lo pronto, hojeándolo en la tienda, me pareció una chorrada, una novelita de verano, pero después, ya en segunda inspección, lo interpreté como una docuficción o algo así, y eso fue lo que finalmente me atrajo, porque me fascinan las docuficciones, ahí está *Gran Hermano,* ahí está *El desencanto,* ahí está *El encargo del cazador,* ahí está *Después de tantos años* con San Michi Panero gritando, «¡Pues que vayan ellos! ¡Pues que vayan ellos!», ahí está sin ir más lejos la Biblia, cosas cotidianas que una vez filmadas y montadas generan una especie de poesía del propio tiempo, es decir, de silencio, de lo pastoso y neutro al mismo tiempo, por eso tomaba 18 años atrás cada día Coca-Cola con limón en su propia botella, por eso, en Las Vegas, 2 años antes de llegar a aquel bar de una isla al sur de Cerdeña que se parecía mucho a otro de las Azores, dejé sobre la mesilla de noche del hotel ese libro, *La música del azar,* traducido al portugués, un idioma a efectos prácticos desconocido para mí, como esperando que me dijera algo, mientras a lo lejos se oía el bullicio de miles de personas tomando cócteles a pie de tragaperras, personas con la escala temporal ya rota, sin saber si es de día o de noche, gente residuo de biologías domésticas, y así fui leyendo ese libro, con el sonido de las máquinas tragaperras de fondo y a pequeños golpes de flexo, como quien escucha una canción en un idioma que no entiende en su totalidad, a veces lo cogía ella, y lo leía también despacio, no comentábamos nada, sólo nos mirábamos cuando alguno, terminado algún fragmento, lo dejaba sobre su mesilla, y ella se quedaba pensando en silencio, como construyéndose, como siendo otra en Las Vegas, sin decir ninguna de esas frases geniales que tenía por costumbre decir en los momentos clave, parecía entonces, allí tumbada, que no tuviera ni peso ni masa, esos dos asuntos aún muy misteriosos para los científicos, porque nadie sabe por qué poseemos masa, ni siquiera los físicos teóricos, que son algo así como las máquinas humanas que crean el mundo, lo saben, y salen del paso postulando la existencia de una partícula llamada bosón de Higgs, responsable de que poseamos masa a través de unas complejas interacciones entre campos y quarks, de momento aún no han encontrado ese quimérico bosón de Higgs, pero lo harán, la masa es algo que a los humanos nos incordia, por lo menos a ella y a mí siempre nos incordió dado que sabíamos que cuando pasáramos a la fase de materializar nuestro Proyecto, es decir, el momento en que toda la arquitectura teórica, que incluía no sólo planos sino también textos en 12 idiomas diferentes, utensilios fabricados por nosotros mismos, maquetas y programas de cálculo, cuando todo eso que cabía en la funda rígida e hidrófuga de una Gibson Les Paul se convirtiera en objeto pesado, gravitante, irremediablemente colosal, lleno de masa, se destruiría posiblemente víctima de su propio peso, un fatal peso del cual Él, el Proyecto, nunca podría ser responsable, como cuando una persona engorda tanto que sus órganos internos son aplastados por su propio peso, o cuando una estrella adquiere tanta masa que termina colapsando en un agujero negro, la masa y el peso son cosas tan importantes que ni la muerte las anula, aunque ciertas personas consigan anularlas en vida, por ejemplo ella y yo, seres livianos, flotantes, y toda esa liviandad, traducida a nuestro Proyecto, se hallaba contenida en una maleta de guitarra, en la posibilidad de que lo que ahí dentro se insinuaba existiera algún día, en el concepto de que aún no era masa pesante pero pronto lo sería, y así ella, en Las Vegas, tumbada en la cama piramidal, en aquella habitación con forma de pirámide que a su vez estaba en un hotel, el Luxor, que era una gigantesca pirámide, mientras en los casinos la gente hacía sonar en las tragaperras una musiquita que perduraba muchas millas desierto adentro, se quedaba fumando y mirando fijamente el techo de gotelé de pequeñas pirámides, tras leer algún fragmento de un libro llamado *La música del azar,* liviana, sin peso, desconectada de la materia, y el cigarrillo se consumía en su cuerpo, su extraordinario cuerpo, 70% agua y 30% humo, y yo no me explicaba cómo el humo y el agua combinaban tan bien en su cuerpo, cómo combinan tan bien en cualquier cuerpo que, como el suyo, esté dispuesto a enfrentarse al radical silencio de una habitación de hotel con forma de pirámide en Las Vegas, en el que no hay luz que, una vez atravesadas sus paredes, encuentre el camino de salida, en el que hasta el techo de las habitaciones es un gotelé hecho de millones de pequeñas pirámides, como si ese techo fuera el cerebro del hotel, el cerebro de Las Vegas, un cerebro que en vez de circunvoluciones tuviera millones de pequeñas pirámides, el fractal que se repite, sólo en competencia numérica con las miles de cámaras de vigilancia incrustadas en el techo del casino, situado en la planta baja, una cámara cada metro y medio, yo las miraba y pensaba en lo extraño que sería que de repente nadie te vigilara, en la soledad infinita que supondría no ser observado por nadie, en la desgracia que supondría sufrir ese desprecio, y 2 años después de estar en aquella habitación de miles de pirámides de gotelé y miles de videocámaras, viajando por una isla al sur de Cerdeña, a falta de hoteles disponibles nos alojamos en un agroturismo, un lugar frecuentado por parejas de más de 40 años recién llegadas a la observación de los pájaros con calzado deportivo de Prada, y estábamos cenando al aire libre, en una especie de terraza con mesas de plástico blancas, se oían unas bulldozer trabajar entre árboles, el girar de una batidora en la cocina, un momento perfecto, y yo le pasé a ella la cajetilla de Marlboro y encendió un cigarrillo, y una mujer bastante gorda que cenaba con su marido a 12 metros de nosotros, una mujer que ingería toda clase de grasas a fin de destrozar su juventud, totalmente colesterolizada, comenzó a mover las manos de manera compulsiva, y a decir con un volumen lo suficientemente audible, ¡Me estás ahumando, me están ahumando!, allí no estaba permitido fumar, pero aquella mujer no entendía que su vida estaba lo suficientemente destrozada como para no tener la más mínima tolerancia hacia la especie humana, era exageración en estado puro, aquello que se parece a todo menos a sí mismo, el ser humano reducido a objeto carente de personalidad, justo lo contrario al silencio o a la Coca-Cola, o a aquel libro llamado *La música del azar* que leíamos en Las Vegas mientras ella fumaba en silencio y hacía de su cuerpo la perfecta combinación de 70% agua y 30% humo, porque aquella gorda talibana no sabía que el humo y el agua producen reacciones delicadas, entes por entero miscibles, no sabía que el 50% de agua y el 50% de grasa en que se resumía su cuerpo son porcentajes que no se mezclan jamás, son antagónicos, el antagonismo más grosero, esa vulgaridad que ni ella ni yo jamás concebiríamos ni pondríamos en práctica, antes muertos, no en vano, éramos ya entonces los artífices de un sofisticado Proyecto, nuestro Gran Proyecto, como nos gustaba llamarlo, nuestro y de nadie más, y entonces en Las Vegas cogíamos *La música del azar* en un idioma que sólo parcialmente conocíamos y lo leíamos a trozos, cada uno en silencio, por turnos, y después fumábamos expulsando el humo, ella contra las pirámides de gotelé del techo, fractales de fractales, y yo contra la oscura ventana de la habitación, que daba al desierto, el Desierto, pensaba, otro gran proyecto, cuando un proyecto es verdaderamente grande, importante, universal, ni triunfa ni fracasa, está fuera del tiempo, inmerso en la pastosidad del Gran Silencio, de la misma manera que para mí aquellos días en Cerdeña con su cuerpo sentado a mi derecha en el Lancia, su perfecto bikini con dos margaritas estampadas en cada pecho, el pelo rubio golpeando sus gafas de pop-star, todo, se situaba más allá de lo puramente biológico, más allá de esas personas que acumulan grasa en vez de silencio, más allá de toda la biología de aquella no fumadora compulsiva que nos hablaba como si ella fuera inmortal, como si nunca se fuera a morir, como si con la edición de una ley que respetaba con sumiso celo todo proceso biológico se hubiera detenido en su cuerpo, y ella, cuando apagó el cigarrillo por respeto a la enfermedad mental de aquella mujer, me había dicho sin quitarse las gafas de sol, sin dedicarle tan siquiera un gesto, Dale a esta mujer una idea y unos cuantos millones de dólares y Bin Laden a su lado sería un Boy Scout, qué buena frase, ella siempre estaba cargada de buenas frases, como cuando mientras, días atrás, yo aceleraba a fondo para alejarnos del «edificio fascista», como nos gustaba llamarlo, mientras dejábamos aquella construcción desmantelada a nuestras espaldas con toda su geometría fuera de escala, con toda la miseria detenida en sus paredes y columpios, ella dijo, Pásame el encendedor, no dijo «pásame el mechero», sino «pásame el encendedor», y no comentamos nada más durante horas, nada sobre el edificio fascista, nada sobre ningún tema, y por supuesto, nada sobre el Proyecto que nos había llevado hasta allí, y llegamos a aquel pueblo de costa en el que daban una película de Disney y colgaban de los balcones toallas que eran banderas de micronaciones, y después continuamos hasta un punto en el que el asfalto se terminaba sin previo aviso del mapa, y se abría una pista forestal atravesada por un río muy ancho y de un palmo de profundidad, cuyas aguas eran rojas, totalmente rojas, pero lo suficientemente cristalinas como para ver en su fondo los cantos rodados, como para ver en su fondo la ausencia total de vida y vegetación cuando frené el coche y me bajé a inspeccionarlo, toqué el agua y decidí que estaba caliente porque estaba más caliente que mi mano, no había puente alguno a la vista que permitiera atravesarlo, regresé al coche y vimos que al otro lado del río se abrían varias pistas forestales, 4 para ser exactos, el ventilador del Lancia comenzó a girar, permanecer parados, sin aire que entrara por las ventanillas, también nos estaba asfixiando a nosotros, así que arranqué, cruzamos el río rojo y las ruedas rebotaron al paso por piedras de todos los tamaños, y me metí, levantando una gran polvareda, por una de las 4 pistas, una al azar, sin pensarlo, una cualquiera, como cuando en Las Vegas callejeábamos sin orden de casino en casino, guiados por aceras mecánicas, y así encontró ella una madrugada de domingo un bikini y yo la única librería de esa ciudad con la única novela en su escaparate escrita en portugués, *La música del azar*, interrogándome desde un atril de bombillas con forma de Torre Eiffel, novela que, de una manera más o menos explícita, nos había traído hasta Cerdeña, hasta aquel Lancia y aquella carretera, novela que nos había metido en la cabeza la idea de nuestro Proyecto, Proyecto que, no lo sabíamos, cada vez se acercaba más a sus prolegómenos, a su primer ensayo, a ese momento en el que tanteas si el reloj continúa o se detiene, el momento de desplegar planos, herramientas, conceptos, computadoras, ideas, el punto de inflexión en el que, diríamos, el Proyecto se enfrentaría por primera vez a la materia propiamente dicha, si es que algún significado tiene la frase «materia propiamente dicha», momento que fue incubado en docuficciones, en *Gran Hermano*, en *El desencanto*, en *El encargo del cazador*, en *Después de tantos años* con San Michi gritando en la pantalla, *¡pues que vayan ellos, hombre, que vayan ellos!*, o en las reposiciones de *El coche fantástico*, o sin ir más lejos, en la Biblia y en todas aquellas películas y seriales que nos encantaban y que servían de nutriente a nuestro Proyecto, cosas que habíamos visto y leído sin cesar en nuestra casa, verano e invierno, cosas que nos insuflaban no ideas propiamente dichas pero que sí creaban una atmósfera para la gestación de todo cuanto vino, un cerro de intimidad, porque antes de nada, antes de sacar papel, cartabones, programas, antes de enchufar los Mac y confeccionar programas, antes de preparar las cámaras de fotos, los mecheros, los cigarrillos, antes de que se erijan todo tipo de hipótesis erróneas o ciertas pero siempre colosales, antes incluso de pensar en el propio preámbulo del propio pensamiento del propio Proyecto, hay que crear una burbuja de intimidad, y en ella buscar el agujerito por el que colarse, una vez encontrado ese orificio que al fin y al cabo es un ritmo de silencio, todo va rodado, y así, en casa, pedíamos una tamaño familiar a Tele-Pizza, abríamos un vino blanco frío, muy frío, y con la luz apagada deglutíamos aquellas películas y teleseries que eran mucho más que simples películas y teleseries, porque toda cosa, frase u objeto, pensada o dicha con la suficiente seguridad y profundidad, se vuelve importante, y aún más, trascendente, crea su propia estética, por ejemplo, si se dice «la sopa está muy buena», mientras comes un mediodía viendo el telediario no significa nada, pero si se dice «la sopa está muy buena» mirando a los ojos a la cocinera de la misma manera que mirarías una explosión definitiva, entonces la frase adquiere una profundidad casi metafísica, y así observábamos todas aquellas películas y teleseries, alimentos para nuestro cerebro, cerebro que en ese momento sin ser el Proyecto era equivalente al Proyecto, una suerte de dúctil antimateria en cada una de nuestras cabezas, y cada cual en silencio, sin decir palabra, en nuestra casa, iba anotando mentalmente lugares, conexiones, gestos, cosas, todo lo referente al hallazgo del agujero por el que colarnos en el Proyecto, un Proyecto ni pensado aún, ni tan siquiera intuido, y con ese sigilo tardamos varios meses en enseñarnos lo que cada uno había ido haciendo en la clausura de su cabeza, notas previas, apuntes a mano, a menudo contradictorios, que permitieran el primer *brainstorming*, que propiciaran el primer «duelo de gallitos en la cumbre» como nos gustaba decir parodiando a los locutores de radio de fútbol de 2.ª Regional, pero las piezas encajaron solas, no tuvimos que decirnos prácticamente nada, fue poner cada cual su trabajo sobre el suelo del salón y ya supimos que poca cosa habría que decirse, que todo estaba ahí, en perfecta simbiosis, cosa extraña, diríamos que insólita, porque en todo aquel año preparando el Proyecto ninguno había hablado de él, quiero decir «acerca de él», quiero decir que por inverosímil que parezca ninguno de los dos sabía lo que el otro estaba gestando en su cabeza, y ni por supuesto que existiera en la cabeza del otro un Proyecto, de ahí lo insólito de que fuera el mismo Proyecto bajo 2 puntos de vista, la misma obsesión que, luego lo supimos, había nacido en Las Vegas aquellas noches de silencio mineral en que leíamos un libro llamado *La música del azar* de un tal Paul Auster, y después fumábamos Lucky Strike y oíamos cómo miles de camareros preparaban cócteles a miles de personas vigiladas por techos con miles de videocámaras, sí, quiero decir que mientras veíamos todas aquellas películas y teleseries en casa, mientras comíamos aquellas pizzas y bebíamos aquel frío vino blanco ninguno sabía cosa alguna de las intenciones del otro, del Proyecto colosal que estaba gestando el otro, destinado a modificar nuestras vidas, y de todo eso hablamos aquel día en aquel bar de una isla al sur de Cerdeña que se parecía a otro de las Azores, Qué raro, había dicho ella, que todo eso, que todo esto, quepa en la maleta de una guitarra Gibson Les Paul, que algo tan inmenso pueda ser reducido a unos pocos centímetros cúbicos, a una píldora, y se volvió a poner las gafas de sol en tanto se ajustaba el tirante del sujetador, fue justamente en ese momento cuando el teléfono móvil vibró en el bolsillo de mi pantalón para recibir la llamada anunciando la muerte de la gata y todo lo que eso arrastra, yo ya estaba acostumbrado a fundar proyectos, toda mi vida había sido un fundar y destruir proyectos, ser escalador, ser batería, ser escritor, ser físico, en todas esas facetas me había defendido dignamente, pero en ninguna había des-

tacado, así que creo que puede decirse que soy un medio-
cre, algo que nunca agradeceré lo suficiente porque me ha
dado la oportunidad de explorar muchos ámbitos diferentes, de ir de órbita en órbita, nada hay peor que un
genio especializado, como aquella mujer en aquel agroturismo, molesta por el humo del tabaco a 12 metros de
distancia, era una genio especializada en la vida sana, o
como Bin Laden, un genio especializado en la destruc-
ción a fin de conservar lo que más ama, sí, yo sabía ya
mucho de proyectos, de cosas que te cambian la vida,
pero nada fue nunca comparable a esto otro, a este Proyecto, nuestro Proyecto, como nos gustaba llamarlo, por
eso ella me fascinó, porque compartía conmigo la misma
señal, el mismo destino, compartía conmigo el gusto por
las «inducciones imperfectas», como por ejemplo la elección al azar de una de aquellas 4 pistas de tierra una vez
hubimos pasado el río de aguas de color rojo, una *inducción imperfecta:* ese mecanismo mental por el cual con
unos cuantos ejemplos que son ciertos generalizas y haces
una ley extensible a todo caso particular, ésa es la base de
la vida, la inducción imperfecta, el momento en que ves
4 pistas de tierra ante tu Lancia y estableces una ley basa-
da en otras pistas de tierra que a lo largo de tu vida has
ido conociendo, una ley que haces por un momento infa-
lible, y eliges una posibilidad que sabes que probablemente no te llevará a parte alguna, que es mentira, que
será una decepción, lo sabes, pero te lanzas, como sabes
que un día vibra el móvil en tu bolsillo en un bar que se
parece mucho a otro de las Azores, un bar al que entraste
a comer algo, a ver pasar los barcos, a nada, y te dan la
noticia de la extinción de una vida, una vida de la que al
final sólo queda un excremento en una palangana de arena perfumada, y después paseas en silencio por el puerto
de ese pueblo mediterráneo, y otra inducción imperfecta
te lleva a decir que estás en el Atlántico y que son las Azores, y eso de momento te salva, y ella está a tu lado y ca-

mina por ese puerto con una funda de guitarra en una mano y con la otra saca un cigarrillo y te dice, Pásame el encendedor, no dice «pásame el mechero», sino «pásame el encendedor», y de momento eso también te salva, toda la literatura universal está fraguada con inducciones imperfectas afortunadamente acometidas por mediocres, ésa es la materia prima, diríamos, el laboratorio literario, y entonces ella se detiene en el extremo del muelle de aquella isla al sur de Cerdeña en la que había un bar que se parecía mucho a otro de las Azores, balancea su brazo izquierdo, y sin previo aviso lanza con todas sus fuerzas al agua la funda rígida de guitarra con todo el Proyecto dentro, y no se hunde porque es hidrófuga «para cuando los rockeros caminan bajo la lluvia», había dicho el que me la vendió mientras me guiñaba un ojo, y flota unos minutos, después las olas de una Zodiac que pasa muy lejos la zarandean contra los cascos de los barcos, golpes, sonidos, al final te vas porque se aleja y la pierdes de vista y sabes que nunca más la verás, lo había dicho aquel gasolinero de Albacete, Las Gibson son buenas guitarras, pero sus fundas..., ésas te sobreviven, y cuando meses antes de que ella tirara la funda al mar atravesamos el río de agua roja a la búsqueda del lugar ideal para acometer nuestro Proyecto y yo elegí una de aquellas 4 pistas al azar, nos reímos mucho del color de las aguas del río, Tan rojo como las letras del periódico *Mundo Obrero*, había dicho ella, y reímos tanto que no nos dimos cuenta de que a nuestra espalda el cielo se estaba cubriendo y venía una tormenta, reímos porque de repente la risa convertía todo aquel paisaje inhóspito en acogedor, en algo ya conocido, una de las cosas más extrañas es la existencia de lugares inhóspitos, quiero decir, su porqué, nunca he entendido por qué llega a ocurrir ese fenómeno por el cual el hombre, que al fin y al cabo es vida, le da la espalda a ciertas naturalezas que al.fin y al cabo también son vida y las hace inhóspitas, abandona casas, edificios, piscinas, amarres de los

54

puertos, ciudades enteras, quizá sea porque nada de eso existe, quiero decir que porque quizá cosas como *ciudades, puertos, piscinas, casas, hombre, naturaleza,* e incluso *vida* no existan, sean quimeras, representaciones verbales de otras cosas que a su vez también son representaciones verbales de otras, y así en una cadena infinita, recuerdo que eso lo leí hace muchos años en un libro titulado *El mono gramático,* de un mexicano ya muerto llamado Octavio Paz, en aquella época la mujer con la que yo vivía se había ido de viaje a Nueva York, no recuerdo a qué, a ganarse la vida, a comprar trapos quizá, a nada, vivíamos en una casa de campo con un jardín que emulaba el estilo semisalvaje del jardín inglés, más allá del cual se desarrollaba un bosque no muy grande a cuyo final nunca llegué, era junio, hacía ya bastante calor, y no podía suponer entonces el giro que daría mi vida, y mucho menos la existencia del Proyecto que habría de llevarme, 9 años después y con otra mujer, a un bar de una isla al sur de Cerdeña muy parecido a otro de las Azores, y recuerdo que cogí un libro de la estantería, precisamente *El mono gramático,* que había comprado hacía tiempo y no había abierto ni por supuesto leído, porque aparte de *La música del azar,* ese texto que vertió el caudal subterráneo de sus páginas hacia nuestras mentes y originó el Proyecto, Proyecto que de alguna manera ya estaba en él, en el libro, esperándonos a ella y a mí, y que también de alguna manera permanecía cifrado para nosotros de forma que sólo hubiera que inclinar un poco el vaso para que nos derramara su poción, aparte de ese libro, decía, yo casi no he leído narrativa, y así, solo y aburrido, 9 años atrás, abrí *El mono gramático* aquella tarde de junio en que la mujer con la que vivía se había ido a Nueva York a no sé qué, y comencé a fijarme, en primer lugar, en su extraña estructura, bastante indefinible, algunos fragmentos venían a ser una especie de poemas en prosa, y me fijé especialmente en uno en el que se afirmaba sin ningún género de dudas que toda palabra es metáfora de otra, y ésa de otra, y ésa de otra más, y así hasta la arbitrariedad de un núcleo no menos metafórico que siempre desconoceremos, y a eso me refería cuando decía que no creo que existan las palabras *ciudad, puerto, piscina, edificio, naturaleza, hombre* o incluso *vida*, por eso no creo que el motivo de que existan lugares inhóspitos, lugares que están como desactivados del flujo del mundo, sea que en ellos el hombre le haya dado la espalda a la naturaleza, ni tan siquiera a la vida, ya que tales cosas no existen más que en el lenguaje, más bien creo que esa desactivación de los lugares inhóspitos respecto al mundo es debida a que son *la ensoñación del resto del mundo*, quiero decir que son zonas que son soñadas, y sólo soñadas, por el resto del planeta, y como tales, permanecen en silencio, inaccesibles a la materia, como le ocurre al sexo y a los sueños, inaccesibles a ser narradas, un caso especial de lugares inhóspitos son las ruinas, pienso que lo que les ocurre a las ruinas es que han llegado a ese estado por su gran potencia simbólica antes de ser ruinas, cuando estaban en pie y habitadas, quiero decir que su potencia simbólica era tan intensa que tuvieron que ser abandonadas para que el mundo no se destruyera en ellas por exceso, por exceso de vida, para a partir de ese momento ser sólo soñadas, para constituirse en lugares inhóspitos, para que no les ocurriera lo que les ocurre a la materia y la antimateria, que se aniquilan por el extraño empeño en estar juntas, para que no les ocurriera lo que les ocurre a las parejas, que siempre se dejan cuando están demasiado cargadas de un estilo de vida propio, un estilo que no se parece a nada más que a sí mismo, sí, las parejas se dejan en el momento en que están más cargadas de vida, de cotidianidad, de belleza, por plano y aburrido que sean ese estilo de vida propio, esa cotidianidad y esa belleza, se dejan cuando están en el más alto grado de potencia humana concebible, en efecto las parejas se asustan por tal perfección, se separan y generan

una ruina, un lugar ya sólo soñado, una complejísima
zona de afectos, lazos, odios, entendimientos, objetos, ex-
periencias, que para siempre ya será inhóspita para el
mundo ya que nadie la conocerá jamás, y por eso ella y yo
sabíamos que una vez realizado el Proyecto que nos había
llevado hasta allí tras un año de continua gestación y trabajo y estudio, sería también nuestro fin y pasaríamos al
estado de ruina, a lo inhóspito, a algo tan inhóspito como
el paisaje que nos rodeaba cuando riéndonos cruzamos el
río de agua roja, cuando al azar tomamos una de aquellas
4 pistas de tierra y una tormenta que no vimos venía con-
volucionando a nuestras espaldas mientras en el CD del
coche continuaba sonando Broadcast, y continuamos y a
los pocos kilómetros la pista empezó a descender muy
suavemente hacia un breve valle en el que parecía haber
un río, y al poco tiempo nos encontramos vadeando el
curso de un cauce seco al otro lado del cual se desarrollaba, siguiéndolo, una fila de construcciones muy deteriora-
das, vestigios de lo que parecía ser una antigua mina, fue
entonces cuando detectamos que en mitad de esas construcciones mineras, pared con pared, existía lo que quedaba de una pequeña iglesia, un pequeño templo que a su
lado izquierdo, pegada, tenía una nave de cuyo techo salían hierros, cintas transportadoras y grúas en mal estado,
y a su lado derecho, también pared con pared, una nave
de alojamiento para mineros o algo así, todo conformaba
una especie de fachada disímil y amorfa, un puzzle, diríamos, que nos impresionó porque nuestro Proyecto tenía
mucho que ver con todo eso, y ella, sin quitarse las gafas
pop-star, rebuscó la cámara fotográfica en su bolsa de playa, salió del coche, y se quedó un momento parada, estu-
diando la situación, después la seguí hasta el otro lado del
cauce seco, lo atravesamos como pudimos entre piedras y
antiguos hierros, ella iba en chanclas, nos detuvimos unos
segundos ante lo que quedaba de puerta apuntalada, y por
fin ella le dio una patada a aquellas tablas y entramos a un

lugar que, por contraste con la luminosidad de fuera, nos pareció muy oscuro, y vimos que del techo, por grandes agujeros, entraban haces circulares de luz que al impactar en el suelo le daban a éste una configuración de piel de leopardo en blanco y negro, en efecto, allí había existido una iglesia, lo supimos por el altar que se veía al fondo, «todas las iglesias tienen algo de piel de leopardo —había dicho ella mucho tiempo después—, algo de belleza tras unos colmillos que no se ven», y de una puerta lateral, a la izquierda, comprobamos que se salía a un espacio semi-cubierto y amplio donde, tal como habíamos intuido, se alojaban grúas y material de extracción, y de otra puerta que se abría a la derecha del templo se pasaba a lo que sin duda había sido un comedor, mesas muy largas con ban-cos y platos y tenedores aún allí dispersos, y ella, en bikini y con los pies un poco heridos, comenzó a tiritar e insi-nuó que nos fuéramos con un «tengo frío», e hizo un par de fotos, y ocurrió que, contrariamente al clic de la cáma-ra fotográfica, que resonó en toda la estancia, su voz salió de su boca sin eco alguno al decir «tengo frío», como si en vez de estar en mitad de aquella nave nos envolviera una ficticia segunda piel o una gruesa cámara pegada justa-mente a nuestra piel, una, diríamos, sólida burbuja que impidiera la propagación del sonido, y cuando salimos ya casi no brillaba el sol, y entonces nos percatamos de que una nube negra, en proceso de cubrirnos, se extendía de un punto cardinal al otro, apuramos el paso entre las pie-dras del cauce seco, nos metimos en el Lancia y arranqué, observé cómo el rectángulo del retrovisor reducía toda aquella mina abandonada a una construcción de jugue-tería, y la rectangularidad del espejo retrovisor me hizo pensar en una viñeta de cómic, en el espacio en blanco que hay entre viñeta y viñeta, en su importancia como silencio para entender la narración en su totalidad y, por añadidura, que aquellos días, 9 años atrás, en que me había quedado solo porque la mujer con la que vivía se había ido a Nueva York a buscarse la vida, a comprar trapos, a no sé qué, fueron los días en que decidí de alguna manera consciente que debía escribir en serio, que debía ponerme en serio, hasta la fecha sólo había practicado la escritura para mí, todo había comenzado cuando aún más años atrás estudiaba la carrera en Santiago y una noche sin previo aviso me puse ante una máquina de escribir tras haber leído unos relatos de Bukowski que me había prestado un amigo, debería de hacer 4.º curso, y mi vida había caído en una especie de desgracia-sorpresa pues, para mi asombro, me vi perdiendo repentinamente el interés por los estudios, por los amigos, había roto con mi chica, y me pasaba los días solo en un piso donde desayunaba viendo el telediario de las 3 de la tarde, y donde hasta que caía el sol continuaba pegado a la pantalla del televisor tomando litros de café negrísimo, tenía dos televisores, un Zenit en B/N, portátil, del año 1967, que había traído mi padre de Norteamérica, televisor que se veía con extraordinaria nitidez pero no se oía, y un Telefunken, también portátil, de finales de los 70 que había heredado de mi hermana y que no se veía pero sí se oía perfectamente, como los dos eran de iguales dimensiones los ponía el uno sobre el otro y por el Zenit veía y por el Telefunken oía, esa duplicidad me incomodaba pero con el tiempo llegó a insinuarme sugerentes conclusiones sobre los conceptos de «complementariedad», «subdivisión» y «cooperación», así como ciertas reglas sobre teoría de conjuntos, conclusiones y reglas que después olvidé y que reaparecieron espontáneamente 15 años más tarde para constituir una parte esencial del Proyecto, nuestro Proyecto, por lo demás, en aquella época de estudiante la soledad se había incorporado a cuanto me rodeaba, incluso a mi cadena alimenticia, y en aquel 4.º curso de carrera leía muy poco, sacaba fotos en B/N a lo que se veía desde la ventana de la cocina, o a veces también hacía fotos a las habitaciones vacías de mi piso y después las pintaba con lápices de cera Plastidecor, la ropa postpunk la había cambiado sin darme cuenta por un grunge carente de estilo, puro abandono, escuchaba música a todas horas y recuerdo que escribía repetidas veces en los papeles en sucio llenos de fórmulas la frase «creo en los fantasmas terribles de algún extraño lugar y en mis tonterías para hacer tu risa estallar» de la canción *Lucha de gigantes* que Antonio Vega había compuesto para Nacha Pop, había algo hipnótico, bello e inquietante en la mezcla de esa estrofa con las fórmulas garabateadas en el papel, algo que suponía un hermanamiento excitante y que yo intuí como definitivo a la hora de crear si es que algún día conseguía crear algo, fue un año triste y lleno de ese tipo de impagables hallazgos producto de tocar fondo, como llegar a concebir la tele como instrumento de una mística total, el brazo ejecutor de una sabiduría absoluta, el lugar del que salían todos los objetos del mundo desde las ondas, desde las partículas fotónicas, desde una especie de nada, incluso objetos y entes inconcebibles, sí, un receptáculo vacío era la tele que no daba jamás tregua al escéptico o al descreído, el ente que perpetuaba la antigua alquimia, cada mensaje era algo inédito, cada eslogan publicitario un mantra zen, todo un cosmos de luz, un borgiano aleph, fue el año en el que sentí por primera vez el extraordinario placer que hay en dejar la tele encendida y bajar sin afeitarse un sábado a las 9 de la noche a comprar tabaco y café, ver a toda la gente en los bares, paseando, o planeando la noche, y tú pasar zómbico entre ellos, sin hacerles caso, hasta llegar a la máquina del bar, extraer la cajetilla que sabes que te fumarás esa misma noche, ir luego al Seven-Eleven a por el paquete de café, y regresar a casa a crear, a ponerte delante de una máquina de escribir, la soberbia sensación de ir a contrapelo del mundo guiado por un ridículo pero efectivo sentimiento de romántica superioridad, cada noche tecleaba la máquina hasta el amanecer, con las pantallas de los 2 televisores encendidas y su volumen a cero, y un mundo se creaba y destruía, se creaba y destruía en un *loop* sin fin en aquellas 2 pantallas, y fueron esas noches de tabaco, tele, máquina de escribir y litros de café en las que por primera vez sentí que crear era como dominar el mundo, y que el escritor era una especie de dios entre toda aquella gente que de repente era chusma a la deriva por calles hasta altas horas, rutina que sólo rompía cuando Saab, un amigo de estudios y juergas, me venía a buscar para emborracharnos por el circuito habitual de bares y terminar al amanecer en su casa hablando de Bukowski, de Heisenberg, y de Boris Vian, trío que en nuestras cabezas constituía un auténtico triunvirato, al final de aquel curso tenía entre mis manos unas calificaciones académicas bastante malas y una novela que hablaba de un tipo solitario que bebía café, escribía y dormía delante de la tele, con el tiempo entendí que mi novela era malísima, así que me dije a mí mismo que aquel curso había sido un tiempo tirado en todos los sentidos, creía haber destruido esa novela hasta que, cuando ya había publicado varios libros de poemas, estando de mudanza, la encontré en una caja, la releí y me di cuenta de que en el fondo todo el pulso de lo que había escrito posteriormente estaba ya ahí, cuando era un completo iletrado, ahí ya estaba la máxima que me ha acompañado siempre y que asumo como mi principio ético a la vez que estético: «poesía es todo objeto, idea o cosa en la que encuentro lo que esperaría encontrar en la poesía», y todo eso, aquel año y lo que supuso, es algo que llevo conmigo cada vez que me siento a escribir o crear el asunto que sea, incluso cuando ella y yo diseñamos hasta el más mínimo detalle del Proyecto, nuestro Proyecto, todo aquello estaba ahí, trabajando en la más profunda capa de mis impulsos, de mis intuiciones, de mi ansiedad, de mis bromas, de mi cerebro, de hecho, sin todo aquel collage de fórmulas, estrofas y soberbia de iletrado no sé qué hubiera sido, 15 años más tarde, de nuestro Proyecto, aquéllos fueron los albores, la prehistoria de todo lo que vino después, pero la decisión de escribir de verdad la tomé años más tarde, en aquellos días en que la mujer con la que vivía se había ido de viaje a Nueva York a comprar trapos, a trabajar, a no sé qué, fue ahí cuando supe que tenía que ponerme a escribir poemas en serio, cuentos en serio, novelas en serio, artefactos, lo que fuera, que debía ponerme ya a generar un espacio inhóspito, una ruina, un lugar únicamente para ser ensoñado por el resto del mundo, un lugar al margen del planeta Tierra y sus fascistas funciones mecánicas, éticas y biológicas, y debería ser algo espiritualmente parecido a aquel libro, *El mono gramático*, extraño artefacto que jamás terminé de leer porque me excitaba demasiado, y cuando muchos años después me vi en el interior de una pequeña iglesia de una mina abandonada en una isla al sur de Cerdeña, supe que aquella búsqueda de lo inhóspito aún me perseguía al punto de haberla colocado ahí al azar, en mis narices, que me había atrapado, que hacía muchos años que me tenía atrapado, pero sobre todo supe que esa búsqueda de lo inhóspito me tenía atado de pies y manos por algo más que ocurrió aquella noche a la que me vengo refiriendo, la noche en que leí a trozos *El mono gramático,* algo que no pasaría de burda ficción si no fuera porque de hecho ocurrió: recuerdo que aquella tarde el sol ya se estaba retirando y yo había cenado, como siempre, una ensalada y agua del grifo, también como siempre en aquella época puse el CD de Cohen *Death of a Ladie's Man,* y entre los platos y cubiertos de la mesa abrí *El mono gramático* por primera vez, que fui leyendo a saltos hasta llegar a un pasaje que me llamó mucho la atención, algo que fue para mí, diríamos, una revelación, sé que me quedé toda la noche pensando en él, lo sé, era como si de repente hubiera encontrado mi particular e intransferible camino, no sólo literario, sino cosmovital, a la mañana siguiente volví sobre el libro, busqué ese párrafo, y no lo encontré, obcecado, rebusqué en cada una de sus escasas páginas, y nada, ya al mediodía tuve que admitir que el pasaje en cuestión había desaparecido, sé que es descabellado, pero así fue, el pasaje no estaba, comencé luego a pensar que esa lectura me la había inventado, pero no, la recordaba perfectamente, tenía en mi retina grabado el momento en que acometiendo sus primeras frases me había levantado a rellenar el vaso de agua en el grifo de la cocina, o los dos cigarrillos que había encendido y que se consumieron en el cenicero debido al estado de excitación al que me llevaban aquellas líneas, incluso recordaba cómo de un chalet cercano llegaba repetidamente la canción *Lady Laura* de Roberto Carlos, que se mezclaba con mi Leonard Cohen, lo cierto es que jamás volví a encontrar aquel fragmento del libro *El mono gramático,* por eso me parece importante la historia de un hombre que vuelve a Prípiat, ciudad que abandonó tras el desastre de Chernóbil, y no reconoce su casa, está ahí, en sus narices, pero no se sabe dónde, y nadie puede saberlo, ha desaparecido, he pensado a partir de entonces que fue tal la revelación que se operó en mí aquella noche de verano, que aquel pasaje de aquel libro tuvo que destruirse para generar un paisaje inhóspito, una ruina, hasta el punto incluso de borrar su contenido en mi memoria, generando así un vestigio, una capa arqueológica que he de buscar, que estoy condenado a buscar produciendo palabras, relatos, poemas, artefactos o, por qué no, proyectos, proyectos en apariencia, y sólo en apariencia, totalmente alejados de aquel pasaje perdido de *El mono gramático,* Como este Proyecto que nos ha traído a este bar de esta isla al sur de Cerdeña que se parece mucho a otro de las Azores, le dije a ella mientras se introducía en la boca un tenedor repleto de judías con atún y trozos de tomate, se acercó entonces la camarera, una muchacha blanquísima con aspecto de haber sido extraída de un club de fans de Marilyn Manson, hablaba y se movía con suma precisión, como si actuara o se hallara bajo los efectos de alguna sustancia que impide ver más allá de lo inmediato, que impide que exista un eco en torno a ti o un campo de resonancia de palabras o de la propia respiración, como cuando habíamos entrado en aquella mina abandonada y sus palabras, «tengo frío», no resonaron en parte alguna porque nos encontrábamos bajo los efectos de una sustancia mucho más poderosa que cualquier otra: nuestro Proyecto, el Proyecto por antonomasia, como nos gustaba llamarlo, nuestra particular Música del Azar, Proyecto que había remotamente comenzado hacía muchos años, cuando leí a trozos *El mono gramático* y un pasaje desapareció, pero que en concreto había comenzado 2 años atrás, cuando cayó en mis manos *La música del azar* por azar en una ciudad llamada Las Vegas, lo leíamos en el hotel de la mejor manera que se puede leer un libro de esas características, sin feed-back, en silencio, sólo así puede darse la paradoja del aumento de entropía que genera vida en vez de muerte, sólo entonces, cuando cayó en mis manos *La música del azar* en portugués, aquel libro de un tal Paul Auster, ese autor del cual no sabía nada ni mucho menos había leído cosa alguna ni he vuelto a leer, empecé a pensar en la existencia y significado de la ruina, de lo inhóspito, de aquella desaparición de un fragmento para mí absolutamente revelador de *El mono gramático,* y en que el Proyecto, el gran Proyecto que comenzaba tímidamente a tomar forma en mi cabeza, y sin yo saberlo en la de ella, fuera una respuesta a aquella pérdida de aquel fragmento ocurrida años atrás, cuando yo era otra persona y vivía con una mujer que se había ido de viaje a Nueva York a ganarse la vida, a comprar trapos, a no sé qué, después pasó el tiempo y todo fue un ir poniendo silencios para llegar a concebir finalmente el Proyecto que nos había traído a ella y a mí a esta isla al sur de Cerdeña, sí, fue a raíz de una madrugada de domingo de compras en Las Vegas, en la que ella adquirió un bikini y yo encontré por azar un libro que llevaba en su portada escrita la palabra *azar*, por lo que todo tomó forma hasta el punto de, como la Coca-Cola, erigirse en algo sin parangón, un salto evolutivo en la especie humana, porque allí, en Las Vegas, ocurrió algo inesperado: ella desvió la vista del techo, de las miles de pirámides de gotelé que cubrían el techo, miró por la ventana y vio el aeropuerto, su inmenso espejo de asfalto plateado que divide la ciudad, y todos los edificios reflejados en él, edificios como ya en fuga, en vías de huida o desaparición, y entonces dijo por primera vez, Pásame el encendedor, no dijo «pásame el mechero», sino «pásame el encendedor», frase que a la postre se revelaría como capital para el desenlace de nuestro Proyecto, y yo, cuando 2 años después, mientras nos alejábamos en coche de una mina abandonada en una isla al sur de Cerdeña, y veía en el reflejo del retrovisor cada vez más pequeña aquella mina, su vestigio de iglesia y las máquinas oxidadas emergiendo de los techos como árboles de metal, me di cuenta vagamente, sin mucha nitidez, de que aquella visión horizontal de Las Vegas, reflejada en su pista de aeropuerto, y toda la ruina generada por aquel pasaje desaparecido de aquel libro llamado *El mono gramático* estaban allí, en los 50 cm^2 de retrovisor, la viñeta de cómic que un amigo dibujante me había enseñado a entender a saltos, a hachazos, hasta que de repente las gotas de lluvia que ya comenzaban a caer con fuerza sobre el cristal trasero del coche me nublaron la visión en el retrovisor, y toda esa imagen se borró y dio paso a la búsqueda de algo más apremiante, un lugar donde dormir esa noche de intensa lluvia, no deja de sorprenderme que de repente la esfera terrestre en ocasiones se cubra de agua, caiga atrapada por una capa de agua, pensada así, la Tierra se me hace pequeña, de juguete, un balón de fútbol caído a un río, 70% agua, 30% humo, y de alguna manera aquella noche en que nos alejábamos de la mina y buscábamos un lugar donde dormir, lo que estábamos buscando era un recipiente que diera forma a toda aquella agua que oíamos repiquetear en el capó del Lancia, trasvasar de alguna forma todo ese caos que nos rodeaba a una vasija que le diera forma y sentido, un lugar de descanso, una cama donde dormir, un lugar donde nuestra impresionante estabilidad se reencajara de nuevo, no es raro, hay personas que organizan su vida en torno al hilo de las habitaciones en las que les ha tocado dormir desde que poseen uso de razón, una vez leí un libro de un tipo francés llamado Perec, en el que este autor afirmaba que había catalogado todas las habitaciones donde había dormido durante toda su vida, eran cientos, casi todas solamente usadas 1 solo día, yo no puedo decir lo mismo ya que aunque soy nómada por naturaleza, aunque mi misión sea generar Proyectos, cambios, golpes de rumbo, no me gusta viajar, lo que me lleva a usar casi siempre la misma cama, no entiendo cómo alguien necesita desplazarse, usar los sentidos, viajar, para sentir algo, lo encuentro básico, primitivo, como un estadio primario de la evolución, hay otras formas más civilizadas de viajar sin salir de casa, por eso a mí con la tele, los libros, el computador y las pelis, ya me llega, ésa es la sofisticación de la que hablo, de la que ella y yo siempre hemos hablado, mi ideal de vacaciones es permanecer encerrado en una casa con aire acondicionado ante una ventana que mire al mar o a la montaña, por eso elegí la casa en la que vivo, la casa que hizo posible la escritura de *Nocilla Experience,* un ático dividido en 2 plantas, que posee exactamente esas vistas y grandes ventanas de doble cristal, tiene además una terraza grande a la que creo que sólo salí cuando la vendedora me la enseñó ante mi congoja, fruto de la cantidad de flores que había plantadas, vegetación que, por supuesto, arranqué o cubrí de cemento-cola nada más se hubo resuelto la compra-venta, no soporto el Reino Vegetal, me cae mal, lo único que me hace feliz es permanecer en mi casa solo, con la tele, con mis pelis, mis libros, mi música, mi Mac, mi batería, mis montajes musicales, piezas que compongo en una vieja grabadora Foxtes analógica de 4 pistas, recortando y pegando trozos de canciones ya editadas, de hecho, cuando 4 años atrás, mucho antes de que la fascinación por el Proyecto, por nuestro Proyecto, como nos gustaba llamarlo, nos trajera hasta esta isla al sur de Cerdeña, cuando, como ya referí, fuimos de viaje a Tailandia y me rompí la cadera y permanecí 25 días postrado en aquel hotel de Chiang Mai escribiendo *Nocilla Dream*, y 5 meses más en la cama de mi casa abordando *Nocilla Experience*, cuando todo eso ocurrió, inexplicablemente hallé en todo ello un motivo de placer, no en vano era ésa mi idea del verano perfecto, todo el día en la cama, con mis juguetes alrededor, calentando el planeta con el aire acondicionado a toda potencia para, por paradoja, crear un lugar frío e inhóspito, un lugar que resultó ser una novela-artefacto, *Nocilla Experience*, creada a través de ensamblajes de cuerpos, de textos, de pieles, canciones, revistas, de teoremas que hablaban de películas, de cuerpos disímiles que sin embargo encajan, que hablaban en el fondo de tarros de Nocilla, siempre me pasa igual con la escritura, nunca sé cómo he llegado a escribir lo que he escrito, y *Nocilla Dream* no fue menos, se me apareció, porque su escritura literalmente fue así, una aparición que duró menos de 1 mes, en Chiang Mai, en aquellos 25 días de hotel y monzón, con un dolor horrible en todo mi flanco derecho, y uno comprende entonces a aquel escritor llamado Onetti, que un día se metió en la cama y ya no salió hasta el momento de su muerte, y tras estar 20 días en Chiang Mai tuvimos que regresar a Bangkok y hospedarnos en esa ciudad 5 días, antes de que me trajeran a España, en un hotel de la cadena Sofitel, en el piso 19 de un rascacielos de cristal, la visión de la ciudad impresionaba, un día se me terminaron los calmantes, y ella, antes de irse de compras, me dio uno de otra marca que tenía el mismo principio activo, y comencé a encontrarme mal, una sensación angustiosa e indescriptible, una intensa ansiedad se apoderó de mí, no había manera de escapar de ella, era como estar prisionero no en tu cuerpo sino en el centro de tu mente, tuve verdaderos deseos de romper el cristal y tirarme desde el piso 19 fruto de lo que técnicamente se llama una reacción paradójica al medicamento, la contraria a la esperada, recordé a aquellos de las Torres Gemelas que se tiraban por la ventana de puro miedo, sólo que en ellos la reacción no era paradójica sino, precisamente, la esperada por la multinacional Bin Laden & Co., de la misma manera que aquella talibana antitabaco en aquel agroturismo esperaba justamente expulsarnos no ya de su radio olfativo sino de su campo visual y hasta de la Tierra, exterminarnos si pudiera, pero lo mío en Bangkok era distinto, asumí de pronto que estaba impedido por una rotura de cadera, en un país muy lejano, un lugar inhóspito, asumí también que ella había salido a comprar y se había dejado en la habitación el teléfono móvil, sentí algo que está más allá del pánico: la indolencia a lo que me pudiera pasar, el total abandono, la derrota de un cuerpo, pero aún más, pensé en las notas que había estado tomando aquellos 25 días, mi novela, sólo pensaba en qué sería de ellas, mal caligrafiadas, nadie conseguiría ordenarlas, se perdería en el cubo de basura de un hotel tailandés, irían al mar, y de ahí al estómago de un pez que quizá algún editor español compraría ultracongelado en el supermercado de su barrio para comérselo una vez frito, de la misma manera que las notas prendidas a un corcho de un bar de las Azores se perdieron en el océano Atlántico y ahora sólo queda una geografía de chinchetas bajo el agua, y por fin ella regresó, el tacto de su mano devolvió paulatinamente todo a la calma, después avanzó el reflejo del sol en el rascacielos de enfrente, y vi a una pareja discutir en una de sus habitaciones y después abrazarse, hasta que todos, aquella pareja y nosotros, nos dormimos deseando que al día siguiente todo fuera mejor, momentos que me dieron a entender que ese estado de angustia era el lugar más inhóspito en el que había estado jamás, la ruina que a veces se genera en tu propio cerebro por muy lujoso, cómodo, amable y occidental que sea el lugar en que te encuentras instalado, amable como la tailandesa que venía cada día a hacerme la cama, que sonreía al ver mi estado, siempre sonreía, la sonrisa es importante, activa una zona del cerebro que indica que estamos en un territorio protegido contra talibanes, lugares donde nunca reinará la viscosidad del colesterol, lugares donde somos más que biología, el motivo científico por el cual la gente cuando tiene un orgasmo no se ríe a pesar de ser un momento de intenso placer es porque en esa explosión seminal está en juego la reproducción y supervivencia de la especie, la biología, la ausencia de la risa, la seriedad de las conejas y conejos, por eso las y los ninfómanos son gente muy seria, triste, gente que no soportaría ponerse lúdicamente a catalogar todas las habitaciones donde alguna vez ha dormido, como hizo aquel escritor llamado Perec por simple diversión, por pura nada, por generar otra ruina, por alejarse de aquella mina abandonada y ver la imagen de la iglesia abandonada diluyéndose tras una película de agua en el espejo retrovisor, ése fue el motivo por el que ella y yo aquella noche, tras visitar la mina abandonada, nos fuimos a buscar un lugar donde dormir, un cuarto más para catalogar, un lugar donde darle una forma coherente a toda aquella agua que empapaba los objetos y a nosotros con ellos, ese motivo fue también por el que habíamos cogido una de aquellas 4 pistas al azar al cruzar el río de color rojo, por probar, por tentar a la ley de la *inducción imperfecta,* 4 pistas de tierra como las 4 pistas de mi grabadora analógica Foxtes con las que en casa hacía música probando a ver en cuál de las 4 pistas metía un sonido de guitarra que salvara o por el contrario me arruinara la pieza, y con esa duda, tras dejar atrás la mina abandonada, con una funda de guitarra en su doble

oscuridad, la de la propia funda y la del maletero, condu-
jimos en busca de un lugar donde dormir y la pista se
hizo más ancha, más como gusta en una situación así, y
después de repente volvió a estar asfaltada, ya era casi de
noche cuando dejó de llover y desembocamos en un altiplano que parecía una alfombra verde y marrón, carretera
que continuamos hasta que se nos apareció un cartel amarillo de dimensiones de valla publicitaria en el que con
letras negras decía en italiano: «Penitenciaría de la República Italiana. No pasar», el sol ya estaba cayendo, nos
apeamos, soplaba la típica brisa un poco fría que queda
tras una tormenta, olía a tierra mojada y los mirtos, aún
húmedos, despedían un fortísimo y casi vomitivo olor,
ella sacó de la maleta una gabardina con cinturón, y por
no darle la vuelta se la puso del revés, con la etiqueta de
Zara a la vista, y se la anudó a la cintura, mientras yo leía
una y otra vez aquel letrero a fin de cerciorarme de que
nuestra traducción del italiano era la correcta, «Penitenciaría
de la República Italiana. No pasar», estiramos las piernas
con breves paseos alrededor del coche, hablamos de qué
hacer, presuponíamos una penitenciaría en alguna parte
pero en toda aquella meseta no se veía construcción alguna, se fue ocultando el sol, y ella cruzó los brazos sobre su
pecho como abrazándose, para paliar el frío, y pensé que
ese gesto ya lo había visto mil veces en miles de películas
que nos gustaban, es un gesto muy normal entre las mujeres cuando dejan de ser mujeres y por un momento son
niñas, un gesto que, sin ir más lejos, creo que está consignado en algún personaje de la Biblia, ella se subió las gafas
pop-star por primera vez en toda la tarde y se las puso de
diadema, abrazó aún más con sus brazos su pecho y dijo,
¿Qué coño hacemos?, siempre tenía alguna frase genial, la
típica frase dominó que desencadena acontecimientos,
pero yo eso tardé en saberlo, esa virtud suya de enunciar
la frase exacta se me fue revelando poco a poco, primero
en Tailandia, tras *el desastre de Chiang Mai*, como nos

gustaba llamarlo, donde yo ya entonces había ido catalogando gestos, pequeñas pruebas de su aparente estado salvajemente civilizado, diríamos, pruebas de su intromisión felina y silenciosa en lo que yo estaba escribiendo como guiado por una mano autómata, biónica, sí, todo eso referente a ella, su genialidad para las frases, era algo que poco a poco fue emergiendo aquellos días de monzón y Nocilla tailandesa hasta que me encontré un día, años después, en Las Vegas, rodeado enteramente por su sobresaliente inteligencia y singularidad, empapado, diríamos, por el halo de certeza que desprende lo que es único, lo que no se parece a nada ni a nadie salvo a sí mismo, de la misma manera que un limón exprimido en una botella bucea expectante rodeado de ese *líquido elemento universal* que, digámoslo ya, no es el agua sino la Coca-Cola, y así, en Las Vegas lo vi claro, ciudad cuyo horario de apertura de establecimientos en domingo ya justificaría tanto su existencia como la existencia de un funcionario de ayuntamiento, un hombre posiblemente vulgar, normal, quizá hasta un poco cenizo, al que se le ocurrió un buen día lanzar la propuesta de abrir los establecimientos todos los días de la semana, noches incluidas, las concatenaciones son simples pero inescrutables, y esa ciega decisión de aquel funcionario terminaría involuntariamente dando lugar a mi compra de *La música del azar* y a nuestro Proyecto, y con él a todo lo que vino, a un pueblo marinero de una isla al sur de Cerdeña que se parecía mucho a otro de las Azores, con un bar en el que entramos a tomar algo, a ver pasar los barcos y ver rodar entre los coches los papeles llevados por el viento, a nada, porque aquellos días en Las Vegas ella se había encaprichado de un funcionario, no de aquel anónimo y posiblemente oscuro impulsor del horario comercial en domingo por la noche, sino de otro, uno del US Postal Service, «un tipo joven, de rostro vaquero y patillas pirata», había dicho ella la noche que me confesó su atracción por él, atracción que comenzó, según contó, por sus manos, cuando a través de la ventanilla Internacional le sellaba las postales con el dedo índice, ancho y robusto como la pezuña de un bisonte, y después la miraba con sonrisa sórdida, opaca, azarosa, todo eso lo supe una de aquellas noches de hotel con forma de pirámide, llamado Luxor: un sábado me dormí agotado de tanto calmante, ya que, a pesar de haber ocurrido el *desastre de Chiang Mai* 2 años antes, aún me resentía de la cadera y las largas caminatas por los casinos terminaban por producirme un dolor tenue pero constante que no me dejaba pegar ojo, pero aquella noche dormía profundamente, y fue la noche en la que ella desapareció, lo supe porque un vagón de la montaña rusa que circunvala la reproducción de Nueva York se desprendió en su punto más álgido a eso de las 3 de la madrugada, me despertaron las sirenas de ambulancias y bomberos, fui entonces a tocar su cuerpo con la mano y no lo encontré, esperé 3, quizá hasta 4 horas en penumbra, me di cuenta de que había ido a por su capricho con patillas y cara de vaquero, con la vista fija en el techo, intenté contar las micropirámides de gotelé, la imaginé observada en ese momento por las miles de cámaras de videovigilancia, su figura en las pantallas expulsada en haces más allá de la ciudad, a un basurero de imágenes azules y quemadas en el fin del desierto, en el fin de Internet, y apareció poco antes del amanecer, no encendió la luz, no se duchó, no hizo nada, ni siquiera se desvistió, se tumbó en la cama en silencio, hasta que a la mañana siguiente confesó sin yo preguntarle nada ni pedirle cuenta alguna, habló y habló horas seguidas, nunca la había visto tan charlatana, ni tan delgada, mientras yo tomaba un calmante tras otro y escuchaba sin decir nada, hasta que, una vez se hubo callado, los dos salimos a pasear, cada uno por su cuenta, ya era de noche, domingo, la decisión de separarnos estaba tomada, no tomada de forma explícita, porque ella y yo nunca podríamos hacer eso así, pero sí estaba todo de alguna manera ya dicho en un círculo que iba rodeando cada vez más la cuestión sin llegar a dibujarla totalmente, ese día ella regresó al hotel con un bikini que tenía dos grandes margaritas, una en cada pecho, y yo con un libro en portugués llamado *La música del azar,* de un tal Paul Auster, autor que ni conocía ni mucho menos había leído, y del que nunca más he vuelto a leer página alguna, lo dejé sobre mi mesilla de noche, no lo toqué, y a la mañana siguiente estaba sobre la mesilla de ella, no tenía ninguna página marcada porque ella odiaba señalar así las hojas, pero yo supe que había leído algo, había leído algo incluso antes de que yo lo hubiera abierto siquiera, antes de que yo hubiera dejado en sus primeras páginas el olor a Myolastan y a Nolotil del sudor de mis manos, a partir de ese momento fue un continuo ir y venir del libro de una mesilla a la otra, ella, que tanto había hablado aquellos días anteriores, que tanto había justificado su infidelidad, cayó en un mutismo total, sólo leía, poco, quizá un par de páginas al día, y se quedaba después mirando las pirámides de gotelé del techo en tanto fumaba un Marlboro, recuerdo muy bien la extraña e inédita belleza que adquirió su cuerpo entonces, cuando, tumbados en la cama, yo la miraba de perfil y salía humo de sus labios, mientras yo, durante esos silencios, continuaba leyendo sin saber que su capricho por el funcionario con cara de vaquero iba remitiendo bajo el narcótico efecto de algo superior, algo que superaba en muchos dígitos a aquel vaquero del US Postal Service y dedos como pezuñas de bisonte: el Proyecto, nuestro Proyecto, ese que nos tendría tiempo después en el vértice de un cono sin salida en un bar de Cerdeña que se parecía mucho a otro de las Azores, y los días pasaban en el Luxor de Las Vegas, y el libro era cada vez más peleado, más custodiado por cada uno de nosotros, y no nos dirigimos ni una palabra, nada, hasta el decimoquinto día, en el que ella, sin mirarme, sin girar la vista tan siquiera un milímetro respecto al hilo de humo que salía de sus labios para golpear las pirámides de gotelé, me dijo por primera vez, «¿Qué coño hacemos?», la misma frase talismán, propia de personas-interruptor, personas dominó, que me dijo 2 años después una tarde-noche en que nos quedamos sin saber qué hacer, dando vueltas al coche, mientras leíamos una y otra vez un letrero que decía «Penitenciaría de la República Italiana. No pasar», sin tener ni idea de qué hacer por primera vez en 2 años, por primera vez desde que se incrustó en nuestras cabezas la fastuosa idea del Proyecto, nuestro Proyecto, como nos gustaba llamarlo, paralizados en un paisaje que se proyectaba inhóspito hasta donde alcanzaba la vista, y es que la tarde en Las Vegas en que ella pronunció esa frase, esa misma y certera frase, «¿Qué coño hacemos?», se abría también ante nosotros un paisaje carcelario, mineral, la totalidad de Las Vegas era en aquel momento también un gran cartel que decía lo mismo pero al revés: «Penitenciaría del Estado de Nevada. Entren», o «Penitenciaría de la Música del Azar. Entren», porque a partir de ese momento aquel libro titulado *La música del azar*, que hasta entonces nos había pertenecido, iba a apoderarse de nosotros de tal manera que seríamos ella y yo quienes le perteneciéramos a él, y, como ocurre con todos los compañeros de celda, iba a propiciar entre nosotros una rivalidad por intentar detentar su posesión, posesión no declarada pero sí manifiesta, rivalidad que se traducía en un continuo encerrarse en el baño para leerlo, en un despertarse a las tantas y abrir levemente un ojo y comprobar si había luz en la mesilla de al lado, signo inequívoco de que el otro leía el libro, 2 compañeros de celda, condenados todo aquel tiempo en Las Vegas a comer juntos, a dormir juntos, a oír la respiración ansiosa de quien a tu lado acomete la lectura y no te deja dormir, ni siquiera pensar, condenados a todo eso a lo que condena el concubinato forzoso en torno a un polo magnético, uno de esos objetos que dejan de existir porque se erigen en símbolo de algo mucho más fuerte que el propio objeto, y entonces, un día, nos tocó irnos de Las Vegas, y sentados en los asientos 17A y 17B del Boeing, no nos sorprendió que en la pista de despegue, y hasta en nuestros propios cuerpos, se reflejara toda la ciudad en el momento en que la aeronave se elevó, y regresamos a casa, y no volvimos a hablar del libro, únicamente vimos películas, muchas películas y teleseries, pero ambos sabíamos que aquel libro seguía ahí, lanzando partículas sobre nuestras cabezas, lo sabíamos, precisamente, por el silencio creado en torno a él, ni una alusión, ni un comentario de pasada, nada, como cuando aquella vez yo les pregunté a los neorrevolucionarios si en el *Mundo Obrero* salía la programación de TV y nunca más volví a cruzar palabra con ellos, ni un simple «pásame el mechero», y ni mucho menos un complejo «pásame el encendedor», sólo miradas que delataban lo ocurrido, en efecto, tampoco ella y yo hablamos a partir de entonces del libro ni de nuestra enajenante lectura en Las Vegas, ella siempre tenía frases talismán, frases ocurrentes y hasta geniales, y eso fue lo que me extrañó cuando, 2 años después, en aquel bar de aquella isla al sur de Cerdeña que se parecía mucho a otro de las Azores, mientras comíamos, mientras veíamos al viento arrastrar los papeles entre los coches, mientras saboreábamos nada, ya que podía decirse que nuestro Proyecto, al menos en su primera fase, había concluido habiéndose de esta manera erigido en el lugar más inhóspito de la Tierra, lo que me extrañó entonces, decía, es que no soltara ninguna de sus frases ocurrentes, ni una sentencia de las suyas, fue algo de lo que me di cuenta enseguida pero no dije nada, más bien lo aparté de mi cabeza en un intento de no ver lo que irremediablemente estaba ya sobre nosotros, después, de repente, vibró el teléfono en mi bolsillo y paseamos por el muelle hasta su extremo, hasta que ella tiró la funda rígida e hidrófuga de guitarra con todo nuestro Proyecto, con el recuerdo bien nítido aún en nuestras cabezas de aquel letrero que meses atrás nos había paralizado y que ponía «Penitenciaría de la República Italiana. No pasar», el día aquel en que habíamos dado vueltas en torno al coche, y ella se ajustó aún más la gabardina al revés sobre su cuerpo y los pezones se transparentaron, tiesos de frío bajo el bikini también frío, un bikini, como nosotros, fuera de contexto, fuera del cometido para el que había sido creado, y decidimos hacer noche allí, dormir en el coche, bajo el letrero «Penitenciaría de la República Italiana. No pasar», esperar a que el amanecer decidiera por nosotros: si nos adentrábamos en ese territorio o si dábamos la vuelta para pasar de nuevo por el río de color rojo y tomar otra de aquellas 4 pistas de tierra al azar, entonces abrimos un paquete de galletas y comimos también un par de melocotones que habíamos comprado por la mañana en aquel pueblo de costa que a esa hora estaría proyectando una película de Disney, no sé por qué nunca he visto una película de Disney, racionamos moderadamente el agua y ella se alarmó porque le quedaban pocas bragas, ella se ponía unas bragas nuevas cada mañana, bragas que por la noche tiraba a la basura sin cargo de conciencia, cada primer día de mes compraba 30 o 31 unidades, aquella noche se alarmó porque creía que traía 94 pero se había confundido de bolsa, le quedaban 11, lo que le obligaba a encontrar un lugar donde adquirirlas en el plazo de ese número de días, a mí lo que me preocupaba era el agua y el combustible, y mientras tomábamos las galletas sentados en los asientos de imitación de piel hablamos por primera vez en muchos días del Proyecto, sopesamos los pros y los contras de esa isla como lugar apropiado para acometerlo, después ella salió del coche y miró las estrellas, miles, e inopinadamente recordó las miles de pequeñas pirámides de gotelé que cubrían el techo de una habitación de un hotel de Las Vegas, y yo las miles de cámaras de videovigilancia que cubrían el techo de un casino de Las Vegas, así como cubrían el techo de las tiendas de Las Vegas, y el cielo falso de las calles de Las Vegas, y de los pasillos de Las Vegas, y pensé que en alguna de esas cámaras estaría ella, acostada con un vaquero de patillas gruesas y dedos como pezuñas de bisonte, en una cama sucia de motel, una ordinaria cama de funcionario del US Postal Service, exhibiendo todo tipo de posturas en la pantalla de un televisor, en el moteado cuántico de pantalla de videovigilancia, y entramos en el coche y antes de recostar los asientos miré el reloj, no faltaba tanto para que saliera el sol, nos quedamos dormidos esperando que al día siguiente todo continuara, pero a la vez que en cierto modo todo fuera distinto, lo suficientemente distinto, a veces ocurre que el sueño activa un mecanismo reparador que opera sobre el mundo, en una ocasión mi madre me contó una historia referente al acto de dormir, ella vivía en un pueblo de León, ya existía la Guerra Civil, debía de tener 4 o 5 años, un día fue con una amiga a jugar a un prado de un pequeño valle un poco alejado del pueblo, y tras correr por allí toda la tarde y pescar ranas, vencidas por el cansancio se habían quedado profundamente dormidas sobre un montón de hierba, cuando se despertaron ya era casi la hora de cenar, regresaron corriendo al pueblo, y entonces, nada más llegar a las primeras casas, un vecino salió y les dijo que la guerra había terminado, he pensado mucho en esta historia, en qué tuvo que ver el sueño, el acto de dormir de mi madre y de su amiga, su desactivación del mundo, con el fin de la contienda, en cómo ciertos lugares a los que migramos mientras dormimos actúan de agentes reparadores del mundo, objetos equivalentes al mundo, idempotentes al mundo, *objetos-mundo,* recordé la historia del hombre que regresa a Chernóbil y no reconoce su casa, de la misma manera que mi madre se despertó, regresó a la suya y ya no la reconoció porque desde que tenía uso de razón para ella el mundo y su casa habían sido sinónimo de guerra, y me dormí aquella noche en el Lancia con el cuerpo de ella al lado, con la esperanza de que a la mañana siguiente el hecho de haber estado desactivado del mundo hubiera cambiado el callejón sin aparente salida en que nos hallábamos, y recuerdo que lo último que me vino a la cabeza fue una imagen que jamás había visto ni imaginado, era extraña: un tipo se acercaba a una playa con una flor en la mano, la clavaba en la arena mojada, cerca de la orilla, y la regaba con agua dulce que traía en una botella de plástico, sólo eso, un pensamiento inédito, sin filiación alguna al menos en lo que a mí respecta, por lo que deduje que tendría que volver a aparecérseme al menos una vez más en mi vida, hay una ley no explicada, aunque cierta, según la cual todo lo que alguna vez ha existido lo ha hecho para de algún u otro modo volver a existir, repetirse, nada se da en solitario, todo ocurre por lo menos 2 veces, es la única manera de crear el ritmo, la onda periódica que da pie a una ley muy poderosa que es la ley del símil, de las semejanzas, supongo por eso que todas las visiones del mundo que puedan concebir los seres humanos podrían agruparse en sólo 2 tipos, 1) aquella forma de pensar que considera que los hechos son únicos e irrepetibles, que son un punto aislado en el espacio y el tiempo, y 2) la que considera que son necesariamente repetibles, una sucesión de puntos en el tiempo, y esa esperanza de repetición es lo que vi aquella noche antes de dormirme junto a su cuerpo encogido y tiritante de frío, sobre la tapicería de falsa piel del Lancia, el sujetador del bikini le salía entre el escote de la gabardina, un bikini que tenía estampadas dos margaritas, una en cada pecho, margaritas que por un momento se me hicieron dos huevos fritos, símbolo de lo dúctil, de lo materno, a veces veo dos huevos fritos en los ojos de la gente, o los veo simplemente brillando sobre un fondo negro como aquel famoso cuadro llamado *Cuadrado blanco sobre fondo negro*, repeticiones de una misma imagen que transformadamente se me aparece cuando menos lo espero porque, ya digo, todo lo que existe está condenado a repetirse, es ley, y así, de esta manera tan simple y contundente, una pieza llamada *La música del azar*, una pieza que había escrito un tipo un verano cualquiera en su casa de Brooklyn, estaba condenada a revelársenos repetidamente en Las Vegas, en Cerdeña, en una isla al sur de Cerdeña, e incluso, paradójicamente, antes de tan siquiera haberla leído y mucho menos conocido, en Chiang Mai, años antes, cuando el *desastre,* como nos gustaba llamarlo, donde había comenzado nuestro magno Proyecto, pero todo esto ya no lo pensé aquella noche en que me quedé dormido en el Lancia con la última visión de sus pechos saliendo de la gabardina, dos huevos fritos estampados, una casualidad, quizá, no sé, yo creo mucho en las casualidades, un escritor llamado Allen Ginsberg, en la Norteamérica de los años 40, escribió la siguiente frase a la edad de 17 años, «seré un genio de una u otra clase, probablemente en literatura», pero también dijo, «soy un chico perdido, errante, en busca de la matriz del amor».

Parte 2

MOTOR AUTOMÁTICO

1

«Lo recordaré siempre porque fue simple y sin circunstancias inútiles.» (*Casa tomada,* Julio Cortázar)

Espero no haber malgastado esa frase a estas alturas del libro.

2

Entonces nos despertamos.
Ella sonrió.
Salimos del coche, nos apoyamos ambos en la carrocería. Mientras comíamos lo que nos quedaba: medio paquete de galletas, 3 melocotones y agua, decidimos que el letrero que nos advertía de la existencia de una penitenciaría al final de la carretera era lo suficientemente disuasorio. No íbamos a continuar.

El sol, rasante, alargaba la sombra del coche y la fundía con las nuestras sobre una extensa capa de matorrales. Lo que yo vi allí proyectado, en la combinación de las sombras de nuestros cuerpos con la del coche, era claramente la cabeza de un gato. Comentamos qué estaría haciendo en ese momento nuestra gata.

Mientras ella, sentada en el capó, apuraba la última galleta entré, giré la llave del contacto; el indicador de combustible subió justo por encima de la zona de la reserva. Arranqué. Al sonido del escape varios pájaros de pequeño tamaño salieron de entre la maleza y volaron unos metros con la torpeza de un objeto lastrado antes de caer de nuevo. Calenté el motor con acelerones. Ella, aún fuera, se levantó la falda, se quitó las bragas y cogió otras de la bolsa. Tiró las usadas. Se quedaron prendidas al tapiz de matorrales.

3

Rodamos por carreteras que ya conocíamos y al cabo de 3 horas llegamos a la principal. No tardó en aparecer una Shell. Repostamos, tomamos algo en la cafetería, descafeinados con bollería y agua mineral de una marca muy rara. Sentados en la mesa, junto a la puerta, vimos pasar muchos camiones. Frigoríficos, madereros, areneros, algunos que ni sabíamos qué transportaban, y otros que transportaban cosas que jamás hubiéramos imaginado que pudieran transportarse, como por ejemplo, un edificio entero de ladrillos, de 3 pisos. Ella se preguntó si sus habitantes irían dentro.

Observamos que los camioneros vestían camiseta, y sólo cuando se bajaban de la cabina descubrías que sus peludas piernas únicamente estaban cubiertas con calzoncillos tipo slip. Nos reímos varias veces a su costa.

4

Está bastante claro que la modalidad más arraigada de chabolismo, no sólo permitido sino fomentado por las autoridades, son los campings. Jamás habíamos pisado uno salvo hacía años, cuando en un lugar al norte de Italia no habíamos encontrado hotel y sólo un camping fue la solución por un día. Juramos no volver a hacerlo.

Por eso me extrañó que ella me propusiera parar en uno al poco tiempo de continuar rodando. No esgrimió justificación alguna. Sólo dijo,

—Mira —señalando con el dedo el letrero.

E instintivamente di un volantazo. Me extrañó también que yo no pusiera ninguna pega.

5

El camping era la idea que más o menos todos tenemos de un camping, lo que viene a demostrar que el pensamiento y la naturaleza son la misma cosa. Zona de duchas, zona de árboles, zona de tiendas de campaña, zona de caravanas, una recepción y un pequeño supermercado.

Se ve mejor en un croquis que dibujé aquellos días:

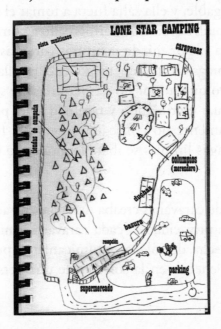

6

Alquilamos una caravana situada en el límite de la propiedad (ver croquis), color crudo y con una mesa comedor convertible en cama.

A nuestra derecha una familia con un hijo, que gritaba por cualquier asunto menor, a nuestra izquierda una pareja de jóvenes alternativos con rastas que daban el coñazo con un par de tambores africanos de imitación. Al frente, una caravana vacía, y a nuestra espalda, la valla que separaba el camping de una extensión de tierra cultivada.

Los días se sucedieron.

Ella iba a la playa por la mañana, muy temprano, y cuando empezaba a llenarse de gente regresaba y desayunábamos juntos; yo me acababa de levantar. Después me sentaba dentro a leer y ocasionalmente a escribir en la mesa plegable, y ella salía fuera a tomar el sol y ver las nubes; después se iba al supermercado a comprar lo que hiciera falta y, por miedo a futuras carestías, venía con un lote de bragas. Tras comer algo sencillo, ella dormía un rato y era yo quien, por no despertarla, me sentaba fuera a continuar escribiendo y también a ver pasar las nubes; últimamente no conseguía asignarles formas. Los lotes de bragas limpias se iban acumulando bajo la mesa-cama.

El damero de caravanas creaba una concentración impresionante de privacidades, cada caravana venía a ser una sustancia hecha de soledad químicamente pura. Es casi imposible penetrar en la soledad de una persona, y aún más en la de una caravana llena de personas. Tribus, píldoras de distintos colores.

A veces yo también me quedaba dormido con una copa de vino en la mano mientras ella roncaba dentro. Antes de ponerse el sol ella me avisaba y nos íbamos a bañar; ya casi no había gente, y la que quedaba eran meras siluetas, tibios trozos de carbón, productos de la deflagración del día.

Algunas veces cenábamos sobre la arena un par de bocadillos y bebíamos vino que ella metía en una cantimplora comprada en la tienda de souvenirs; otras, regresábamos a la caravana y hacíamos fuera una parrillada. Ella se acostaba temprano, yo me quedaba pasmado ante una pequeña tele a pilas hasta que terminaba la programación. Me gustaba, sobre todo, un programa que presentaba Rafaela Carrá; la diosa del teléfono parecía no haber envejecido.

Una de esas noches oí una conversación en la caravana contigua. El padre les decía a la mujer y al hijo que le habían contado que un escritor, el cual llevaba años intentando escribir una novela, estaba hospitalizado en estado muy grave porque durante los últimos 2 años había estado comiéndose su ordenador pieza a pieza. Las trituraba para espolvorearlas en las ensaladas, o hervía los trozos más grandes con los potajes de lentejas, y después las ingería. Según le contaron, el escritor lo había justificado diciendo que si para otros escritores todo el éxito está en la máquina, en el PC, si de allí dentro sacaban los otros su materia prima, si allí se hallaban todas las letras y el misterioso mecanismo de sus combinaciones, tal vez así se operaría en él el milagro de una perfecta combinación de palabras. Oí cómo la mujer y el hijo se reían del cabeza de familia, tomándolo por un crédulo.

Yo sí le creí.

7

Una de las cosas que más me atraía de sentarme por las tardes a leer y escribir fuera era no leer y no escribir: tener una intención inicial y después reorientarla, practicar esa desviación; acceder a la escala de los juegos.

Una vez había leído en un libro de Thomas Bernhard que un tipo se tumbaba en la cama y se quedaba con sus extremidades *orientadas al infinito.* Es algo en lo que pensé muchas veces estando allí sentado. Cerraba los ojos y reordenaba mis miembros bajo la suposición de que al moverlos en una continua rotación tipo radar encontraría la orientación del infinito; sabía que de pronto sentiría un tirón en la dirección de mis brazos y piernas cuando lo encontrase.

8

Una mañana ella tardó más de la cuenta en regresar de la playa. Me cansé de esperar y desplegué la pequeña mesa de plástico fuera. Me senté a un lado. No delante, ni detrás, sino justamente a un lado de la mesa, de manera que éramos: la puerta abierta de la caravana, la mesa, y yo; me pareció una excelente composición. Encendí un Lucky, saqué la cafetera, me volví a sentar.

Por puro juego, comencé a concentrarme sólo en los sonidos del camping. No cerré los ojos, pero me concentré. Del potaje que era aquella suma de interferencias de ruidos comenzaron a separarse capas horizontales de sonido, lonchas verticales de sonido, pesadas masas de sonido, burbujas sin peso de sonido, estrellas de sonido que brillaban 1 nanosegundo antes de desaparecer, distinguí también el sonido del crepitar de unas hojas, el sonido de un tenedor que cae sobre una mesa varias caravanas más allá, el de un pájaro que picotea el hueso de un melocotón, el de un bebé diciendo algo así como mamá, el del esfuerzo del tensado del cable que sostenía la bandera italiana junto a la recepción, el crujir de una bolsa de gusanitos por efecto del calor en una estantería del supermercado, y más que no recuerdo. Percibí el cosmos único y singular que constituía el camping; cualquier camping.

Se me ocurrió una idea.

Consistía en vagar por entre las tiendas, bungalows, caravanas, o el supermercado, con una cámara de fotos, y a personas escogidas al azar preguntarles por qué habían venido al camping, que me dijeran el lugar o rincón donde existía el sonido preferido para ellos, que me dibujaran en un papel el camino para llegar a ese lugar partiendo desde donde estábamos, y después proponerles que fuéramos a ese sitio, a la fuente del sonido elegido, y me permitieran hacerles en ese lugar una foto que llevaría por título, por ejemplo, «Foto del sonido de un árbol», o «Foto del sonido de mi ventana». Con el resultado haría un catálogo: en la página de la derecha, la foto, en la página de la izquierda, el dibujo de la ruta que hubiera dibujado a mano el amable voluntario, y debajo de ambas páginas la descripción del evento, los datos personales y el porqué de la elección de ese lugar y no otro. El resultado sería una especie de «mapamundi visual de sonidos de un camping».

Quieto en la silla, al lado de la mesa, le di vueltas al asunto. Realmente, pensé, un camping puede estar lleno de lugares maravillosos, desde la ligera asimetría de los cuadros de un mantel a un pino lleno de inscripciones a navaja. O el basurero, con su fauna y flora transformando continuamente el paisaje.

En realidad, el camping era el sitio ideal para acometer ese experimento: la máxima concentración de personas, cada una con sus correspondientes planetas y satélites, que se pueda encontrar por metro cuadrado.

Cogí la cámara, enchufé la batería para cargarla, y fui al súper a comprar folios en blanco y un par de lápices.

Nunca entiendo por qué la gente idea cosas y después no las hace, no lleva a cabo sus proyectos. Eso es un crimen.

Cuando ella llegó ya eran las 2 de la tarde. Se había entretenido en el súper porque no había bragas y el camión de reparto estaba a punto de llegar, así que decidió esperar por no hacer el mismo camino 2 veces.

Mientras hacíamos una tortilla —yo pelaba y batía y ella freía—, le conté mi idea de las fotos de sonidos; le pareció ideal. Aliñamos la ensalada.

9

Por orden cronológico:

1) Tal vez el Dios que vemos, el Dios que tiene la última palabra cada día es solamente un sub-Dios. Tal vez haya otro Dios por encima de ese sub-Dios que durante un rato divino está ocupado en otros asuntos pero que volverá más tarde, y que cuando venga cogerá por la oreja al sub-Dios y le dirá: Mira, mira a ese gordo. ¿Qué te ha hecho? ¿No ha sido lo bastante humilde? ¿No notaste que necesitaba atención? ¿No te diste cuenta de que sus días se sucedían como una larga pesadilla? (George Saunders, «El presidente de 200 kilos», *Guerracivilandia en ruinas*, Mondadori.)

2) Descabezado: Eliminación de toda copa, con el fin de rejuvenecer la planta al provocar la emisión de nue-

vas ramificaciones sobre las cuales, más adelante, se intervendrá siguiendo las reglas habituales. (Fausta Mainardi, *Guía ilustrada de la poda*, Vecchi.)

3) Podría hacerse un bonito programa concurso tipo *Gran Hermano* con esta idea: cada semana los concursantes vivirían en una isla donde las reglas vendrían impuestas por la teoría filosófica de algún autor. En la semana Spinoza habría que encontrar a Dios en todas las cosas (...) En la semana Nietzsche, los concursantes se dividirían en niños, camellos y leones, y tendrían que aprender a volar. En la semana Kierkegaard, aprenderían a solventar todos sus problemas mediante rezos. (Juan Bonilla, *Quimera*.)

4) Imaginemos un cajón de arena dividido por la mitad, con arena blanca en un lado y arena negra en el otro. Cogemos a un niño y hacemos que corra cientos de veces en el sentido de las agujas del reloj por el cajón hasta que la arena se mezcle y comience a ponerse gris. Después hacemos que corra en el sentido contrario a las agujas del reloj: el resultado no será la restauración del orden original, sino un mayor grado de grisura y un aumento de la entropía. (Robert Smithson, *Un recorrido por los monumentos de Passaic, Nueva Jersey*, Gustavo Gili.)

5) Hace treinta años, el conductor podía conservar cierto sentido de la orientación en el espacio. Ante el sencillo cruce de carreteras, una pequeña señal con una flecha confirmaba lo que era obvio. Uno sabía siempre dónde estaba. Cuando el cruce de carreteras se convierte en un trébol, uno ha de girar a la derecha para ir a la izquierda (...) Pero el conductor no tiene tiempo para sopesar paradójicas sutilezas de tan peligroso y sinuoso laberinto. Ella o él confían en las señales que les guían, señales enormes en vastos espacios que se recorren a altas

velocidades. (Robert Venturi, Steven Izenour, Denise Scott Brown, *Aprendiendo de Las Vegas*, Gustavo Gili.)

Al final de todas esas citas, el camping había consumido casi 1 mes de nuestras vidas, y nos fuimos. La última fue:

«Todos los derechos reservados. Prohibida la reproducción o alusión total o parcial de este camping, sea por medios mecánicos, químicos, fotomecánicos o electrónicos, así como por reproducciones en maqueta o a escala real sin la autorización del propietario. El camping no devuelve el agua y la electricidad gastadas a sus huéspedes, ni mantiene correspondencia con ellos. El camping no comparte necesariamente las opiniones ni forma de vida de sus clientes una vez se han ido.» (La Dirección)

Respecto al proyecto de las fotos de los sonidos, lo fui dejando.

10

En los siguientes días, sin alejarnos mucho de aquella zona, devolvimos el coche y alquilamos otro Lancia un poco más espacioso. Nunca llegué a recordar de qué modelo se trataba.

Cayeron varias tormentas, alguna nos cogió en la playa.

Fuimos haciendo turismo un poco a boleo, y alguna vez más tuvimos que dormir en el coche, pero siempre, insisto, sin alejarnos de la carretera principal. Los pueblos habitados tenían la mayoría de las casas a medio construir, con el ladrillo a la vista. Vivían así por esquivar impuestos de fin de obra.

Otras veces vimos pueblos abandonados, y justo al lado el mismo pueblo, exactamente igual, reconstruido. Pasabas 2 veces por delante de 2 carteles que te anunciaban la entrada a 2 pueblos idénticos. Tampoco entendimos esa duplicación.

Solíamos tomar helados de chocolate belga en las gasolineras y cachondearnos de la indumentaria de las familias playeras. Incluso una vez compramos en un kiosco una especie de lotería italiana, muy básica, de rasca y gana, con pocas combinaciones, por lo que era muy fácil tener suerte. Ella rascó con 1 euro las 3 casillas y salieron los 3 plátanos amarillos que indicaban que habíamos ganado la suma de 200 euros, que decidimos gastar en una cena el 1 de julio, día de su cumpleaños. Elegimos el mejor restaurante que salía en la guía. Llamamos para reservar una mesa en la terraza, situada en la misma acera. De pie, en un centro comercial, mientras ella confirmaba esa reserva por teléfono, vi pasar a 2 mancos.

11

Nuestro aspecto no debía de ser muy bueno, así que el camarero se aplicó toda la cena en maltratarnos con sutiles actitudes en el límite de lo inaceptable. La comida, exquisita.

Ella, tras el postre, cogió el bolso y dijo,

—Voy al lavabo.

Tardaba un poco. Me inquieté. No era yo quien tenía el dinero.

De pronto, la veo aparecer calle abajo, pilotando el coche, me hace una señal para que acuda, me acerco, abre la puerta y tira de mi camiseta para obligarme a entrar. Arranca a toda velocidad.

—Que se fastidien —dijo—, nos cobramos el maltrato.

Le eché una severa bronca; enseguida se me pasó.

Lo que une a las parejas no es el afecto mutuo que se den, ni los planes construidos a medias llevados a buen término, ni compartir una misma vivienda elegida y decorada a medias, ni parir hijos, ni nada de eso que sale en las novelas y películas. Lo que une a las parejas es el sentido del humor. Dos personas, por diferentes que sean, si tienen el mismo sentido del humor sobreviven como pareja.

Era extraño, pero lo que iba escribiendo sin pretensiones fue tomando forma de organismo vivo en mi libreta de espiral cuadriculada. Las cuadrículas eran caravanas y la espiral el tendido eléctrico que las unía y alimentaba.

12

Uno de los hoteles donde nos hospedamos, en un pueblo sin especial atractivo, era propiedad de un matrimonio mayor. Un hotelito producto de la reconversión apresurada de una antigua vivienda en negocio, con papeles pintados de colores chillones en las paredes haciendo formas imposibles. En el comedor aún había restos de lo que en su día había sido un salón-comedor familiar: libros, grandes clásicos de aventuras dispuestos en una vitrina originariamente mueble-bar, una cesta con los hilos de costura, un reproductor de vídeo cubierto con un tapete de ganchillo, y más cosas que no recuerdo.

Los dueños, un matrimonio que nos dio la bienvenida, tras vivir en Nápoles habían venido a retirarse a Cerdeña. Lo supimos porque él, nada más vernos, mostró un verdadero interés por nosotros, así que los 4 días que allí estuvimos llegamos no a intimar, pero sí a coger cierta confianza.

La habitación era pequeña pero estaba muy bien acabada, con detalles como ventana de doble cristal, 2 lavabos en vez de uno o la presencia de un crucifijo sobre la cama con un Jesucristo de cara cómica. Me gustó el diseño de los pomos de las puertas, realmente conseguidos. Parecían una pera.

En el comedor solíamos coincidir con los dueños, así que ya el primer día nos invitaron a sentarnos en su mesa. Éramos los únicos que cenábamos tarde, como ellos.

Al tercer día nos contaron un poco su vida, una vida nada fuera de lo particular, y nos enseñaron álbumes de fotos. En muchas salían ambos retratados. Escenas cotidianas de playa, comidas familiares, bailando en una boda, etc., pero, en todas, la cabeza de ella estaba recortada. Decapitada. Ante nuestra sorpresa, él nos aclaró que ésa no era su mujer actual, sino la anterior, muerta de un cáncer de cérvix en 1993.

—Al casarme con él —se apresuró a decir ella—, pensé que lo más noble era aplicar la tijera a las fotografías, y fue él mismo quien me la proporcionó yéndola a comprar a la papelería.

Juntaron sus manos y las apretaron, pensé en dos mapas arrugados que se entrelazan para romper rutas. Volví a mirar una fotografía de la difunta descabezada, bailaba un vals con el hombre que yo ahora tenía a mi lado. La decapitada lo agarraba por el hombro y, con la otra mano en alto, entrelazaba también los dedos de él. Lo hacía con tal fuerza que me produjo la misma sensación de alguien que a través de una foto deseara regresar a la vida.

Esa noche, ya en la cama, estuvimos comentándolo hasta muy tarde.

13

Hartos de comer pasta y oveja, decidimos usar el *Recetario para motor de coche* del norteamericano Steve Hunt, un tipo que, según la contraportada, tenía un chiringuito en Brooklyn llamado Steve's Restaurant, así que compramos en un súper unas pechugas de pollo y patatas para cocinarlas en el motor del Lancia mientras rodábamos. Lo adobamos todo en la habitación del hotel.

Lo que sobraban eran cunetas para hacer el picnic.

Yo apretaba el acelerador y ella a veces cantaba las canciones que el CD del coche reproducía constantemente. Vimos un prado, los kilómetros de cocción, 120, eran los adecuados para el pollo y las patatas según el *Recetario para motor de coche* de Steve Hunt, así que nos detuvimos y extrajimos la comida del motor, bien envuelta en papel aluminio. Picamos además unos tomates que llevábamos.

Ya con el estómago lleno, pensé que ella y yo éramos una cinta magnetofónica, alterada, manipulada, que algún día alguien encontraría tirada en una cuneta. No sé por qué pensé en una cuneta y no en una acera, un cajón o un pasillo. Pensé en una cuneta.

14

Pero el espacio dentro de otro espacio que a nosotros nos afectaba de verdad era otro.

El espacio oscuro contenido en una funda de guitarra a su vez contenida en un maletero también oscuro.

No volvimos a abrir el maletero.

Todas nuestras maletas las llevábamos en el asiento de atrás, lo que nos obligaba a no dejar mucho tiempo el coche solo, por miedo a que la visibilidad del equipaje atrajera a rateros.

Aunque quizá tanto celo por no desclausurar la oscuridad del maletero se debiera a pura inercia porque, en realidad, creo que ninguno de los dos tenía ya mucha fe en el Proyecto. A veces los proyectos se magnifican cuanto más intentas alejarlos, cuanto menos piensas en ellos: te distancias, pero la metáfora hace su trabajo.

15

Siempre sin alejarnos mucho de la región turística, nos detuvimos durante unos días en una ciudad de 70 mil habitantes según el censo de 2005. Volver a pisar aceras, encontrar tiendas abiertas, comprobar de nuevo el esplendor de gastar dinero, resultó más saludable de lo que inicialmente supusimos.

Cada vez que entrábamos en una tienda ella elevaba el acto de comprar a un sistema de códigos y signos realmente sofisticados. Envidié su manejo de los vestidos de verano entre las manos, colgados en serie, fríos por el aire acondicionado. Me estremeció pensar que esa frialdad era debida a que les faltaba un cuerpo.

Yo compré una camisa réplica de la que llevaba Steve McQueen en una película de pilotos de carreras.

La perfección de cualquier ciudad radica en su constitución en un cosmos total. Todo está ahí. Como en las Redes de Autopistas del Estado. Sí, puedes vivir en una ciudad sin salir jamás, con la sensación de que todos los ámbitos de la vida se crean, se reproducen y se extinguen en ella. Y si no, no importa, la ciudad se los inventa.

Por el contrario, el campo es un lugar abierto, no es un cosmos en sí mismo. Estás bien un rato, sí, pero siempre parece que le falta algo. Estuvimos hablándolo: quizá era ése uno de los motivos por los cuales ella y yo íbamos de un lado a otro en esa isla eminentemente rural, buscando algo. Cuando llegamos a la ciudad, pareció de repente que toda esa búsqueda se detenía.

En mitad de una calle comercial, encontramos un sumidero de alcantarillado lleno de cartuchos de escopeta.

Ella me contó una historia de cuando era pequeña referente a cartuchos y a escopetas.

16

A veces se me olvida contar algunas cosas importantes.

Ahora he recordado que un día muy caluroso, quizá el más caluroso de todo el verano, cuando estábamos en el camping, vi a un hombre de mediana edad sentado en una silla en una pequeña zona de tierra seca, junto a la alambrada, donde no había ni un gramo de sombra. Yo andaba por ahí con mi cámara, a la búsqueda. Al pasar a su lado me pidió agua. Lo reconocí inmediatamente porque lo veía pasar por delante de nuestra caravana varias veces al día haciendo footing.

Mientras bebía a morro, me fijé en que iba muy arropado; jerséis de lana, botas, una cazadora de vivac.

—¿No tiene calor? —le dije.

Me miró y en sus ojos noté tristeza, una acumulación de tristeza que los hacía grávidos, pesados, casi con forma de huevo. Me dijo entonces que no sudaba, y que quería sudar. Nunca había sudado en toda su vida, y que por eso corría y se mataba al sol.

—Quiero ser normal, amigo, quiero ser normal —dijo mientras me devolvía la botella—, pero no puedo, mis amigos me llaman el «hombre de plástico», el «hombre irreal», o simplemente, el «hombre nada». Esa irrealidad que soy la intento compensar con la comida, como mucho, engordo, me gustaría ocupar el mundo —se pasó la mano por la barriga—, que se note que existo, incluso a veces llego a olvidar que no tengo agua en mi cuerpo, y entonces soy feliz, pero tarde o temprano la realidad se impone.

Trató de levantarse. Casi se cae. Un leve mareo. No había manera de que sus delgadas piernas soportaran fácilmente toda aquella masa corporal.

Yo le dije que no comiera, que eso no era la solución, sino que fumara, que somos 70% agua y 30% humo, que es la combinación perfecta, ya que el tabaco provoca una sequedad que te hace beber agua constantemente. Lo de 50% agua y 50% grasa, le dije, está pasado, es un fracaso, agua y grasa son sustancias inmiscibles, amigo. ¡No coma, fume!, insistí.

—¿Y usted cree que si fumo volverá a mi cuerpo ese 70% de agua? —preguntó con un rostro al que por un segundo asomó un gramo de felicidad.

—Pues claro —contesté—, es ley.

—Gracias, lo intentaré —y me abrazó.

Permanecimos apretados unos segundos. A pesar de su redondez era un palo seco, la cosa más seca que jamás he tocado; casi crujía.

—Y ya que estamos —le dije—, ¿podría decirme usted qué sonido del camping le gusta más, y dibujar en un papel cómo llegar hasta él, y dejarse fotografiar en ese lugar?

Se quedó pensativo unos segundos, tantos que tuve que decirle,

—¿No quiere? Si es así, no importa.

—No, no, qué va —dijo apresuradamente subiéndose la goma del pantalón del chándal—, me encantaría, pero es que lo estoy pensando.

Continuó en *standby*, con los ojos como torcidos mirando al cielo, hasta que sin pensarlo más concluyó,

—Es que el sonido que más me gusta no está en un lugar en concreto; no se puede fotografiar.

—¿Ah, no? —respondí.

En ese momento se puso de rodillas en la tierra, pegó la oreja derecha al suelo, y en esa posición se desplazó medio metro, tanteando con la oreja en círculo. La goma del chándal volvió a bajarse hasta el arranque de los glúteos. Peinó así, a gatas, unos metros de tierra hasta llegar a la parte verde, donde las tiendas de campaña. En ocasiones se detenía, incorporaba el torso, tomaba aire, y me decía antes de pegar la oreja de nuevo al suelo,

—Parece que ya lo oigo.

Otras veces se quedaba quieto, y me hacía un gesto como de «¡silencio!», poniéndose un dedo en los labios. Yo me detenía y no movía ni un pie, hasta que él daba otra señal con el mismo dedo y continuábamos. En un momento dado se detuvo, su cara tomó una expresión de eureka, y dijo,

—¡Aquí es, aquí está!

Yo me quedé en silencio, esperando.

—El agua, la cañería de agua bajo tierra, es el sonido más bonito que existe —dijo finalmente.

Se incorporó, sus ojos volvieron a emocionarse, y continuó,

—Si yo tuviera una red de agua así en mi cuerpo..., sigámosla.

—Pero con ir a un grifo ya está, ya está ahí el sonido —le dije—, no hace falta buscar.

—No, no es lo mismo, los grifos y fuentes no me interesan, están fuera; lo que yo echo en falta son estos tubos dentro de mi cuerpo. Esa cosa que llaman el «sonido interior», supongo que sabe a lo que me refiero, otros le llaman alma. Coja un palo, haga el favor, y vaya haciendo un surco en la tierra por donde yo le diga.

Cogí una rama del suelo, él regresó a la posición de rastreador, y fui marcando en la tierra el supuesto itinerario del agua que pronto se convirtió en un laberinto sin origen ni centro.

—No puede ser —decía—, tiene que haber un destino en las cañerías, un origen, un centro de distribución con su sifón y con todo; no puede ser.

Pasaron las horas, ella me esperaba para cenar. Lo dejé solo, con la oreja pegada al suelo y un bolígrafo de propaganda de agua mineral Smeraldina en la mano izquierda, hacía con él un surco en la tierra cada vez más complejo.

17

Un día comenzó la monotonía a colarse por algún agujero del Lancia. Poco a poco fuimos dejando de hablar. No por nada, sino porque nada había que decirse, como si los dos fuéramos ya sólo uno, uno que se conoce tan bien a sí mismo que el silencio es el estado natural de su relación con las cosas, de tal manera que la mayoría del tiempo lo pasas desapercibido ante ti mismo. Coges el teléfono y no hay nadie al otro lado porque eres tú quien está al otro lado.

A veces escribía en mi libreta cuadriculada de espiral y me parecía que era ella quien lo hacía.

Un día se nos terminó el agua, era domingo y los colmados de los pueblos estaban cerrados; por lo menos hasta la noche no llegaríamos a un núcleo más o menos poblado. Ya por la tarde avistamos una gasolinera. Me amorré, literalmente, al grifo del lavabo, un monomando de primera generación. Eso me llevó a pensar que desde aproximadamente principios de los años 80 todos los grifos son monomando. No hay grifo a la izquierda ni a la derecha: se funde el agua consigo misma en un solo caño central a través de un solo mando central. El cambio coincide con el momento en que la sociedad ejecuta el paso de la modernidad a la posmodernidad y caen las ideologías, izquierda/derecha, ese estilo de vida según el cual todo se halla mezclado, conformado en un bloque o una esfera perfecta sin direcciones ni vectores privilegiados, más allá de la cual no hay nada, todo es vacío.

Las parejas suelen crear sus propios espacios más allá de los cuales pareciera que tampoco nada existe. Las parejas perfectas son parejas monomando.

18

Un día llegamos a un pequeño pueblo en una pequeña isla situada al sur de Cerdeña.

Mientras dábamos vueltas a la búsqueda de un lugar donde aparcar, vi que era muy parecido a los pueblos atlánticos portugueses. Le comenté a ella que aquel pequeño puerto era casi igual a otro que un escritor llamado Vila-Matas había situado en las islas Azores en un artículo de un diario. Entramos en un bar-pizzería que estaba en ese puerto a tomar algo, a ver llegar los barcos, a ver los papeles de periódico girar entre las piernas de los que pasaban, a nada, porque ya no hablábamos. En la puerta colgaba un neón con un barco como el de *Moby Dick* en una tormenta. Una muchacha de tez muy blanca nos dio la bienvenida.

Después, vibró el móvil en el bolsillo de mi pantalón.

19

Ella me dijo días más tarde,

—¿Qué pasaría si un día, un domingo, pongamos, estás en tu chalet, sales un momento a recoger la correspondencia, el viento cierra la puerta, y no tienes llave, y te ves allí, en pijama y descalzo, observando a través de una de las ventanas tu cafetera, la mesa del salón con la figura de porcelana en su centro, la foto de la gata en la estantería, los libros que dejaste abiertos en el suelo, junto a tu mesa, el Mac con el Messenger parpadeando en la pantalla, la taza de café en el fregadero, las latas de Coca-Cola desbordando el cubo de la basura, y piensas que por una vez ves cómo es exactamente tu propia vida pero sin ti? ¿Qué pasaría?

—Rompería el cristal —contesté.

—Bueno, sí, pero ¿y qué más?

Me quedé mudo unos segundos; al fin dije,

—Vale, no sé si tendría valor para esa clase de regreso a mí mismo.

Ese día ella compró un Kinder-Sorpresa, no comió el huevo, tan sólo lo rompió con el mismo ensimismamiento y cautela que un caco rompe un cristal, y me lo dio para que lo comiera yo, me lo metió en la boca, profesionalmente, como las madres de los simios cuando les dan plátanos a sus crías tras pelarlos. Ella se quedó con el camión de recortar y pegar que había dentro. Parecía que en aquella isla se le hubiera despertado un repentino interés por los camiones. A mí, por pensar en cintas magnetofónicas, por ejemplo, anoté:

«Hay un antes y un después en la historia de la humanidad: el momento en que irrumpe la cinta magnetofónica como bien de consumo: la posibilidad de cortar y pegar, alterar, fundir pistas.»

E inmediatamente después, de nuevo pensaba en nosotros como en una cinta magnetofónica tirada en una cuneta.

20

Un día me sentí cansado, y por primera vez condujo ella; me tumbé en el asiento de atrás. Apoyé la cabeza sobre su bolsa de bragas; el orden implícito en ese lote de prendas íntimas y blancas, perfectamente apiladas, su olor a materia industrialmente planchada, me daba paz. Un mundo mineral. Cerré los ojos.

Cuando un objeto se desplaza a una velocidad constante, y tú vas dentro de él, no sientes nada: a efectos prácticos es como si estuvieses parado en virtud del Principio de Relatividad de Galileo. Pero cuando acelera o se detiene, el cuerpo nota una fuerza, y entonces si vas dormido te despiertas.

Eso fue lo que me despertó, una frenada, una suave frenada, parecida al vaivén de un sueño. Abrí los ojos. De repente todo estaba en silencio.

—Hace tiempo que lo vengo viendo —dijo ella desde el asiento de delante; emitió esas palabras lentamente, como hablando para sí.

Abrí bien los ojos y, aún tumbado, a través de la ventanilla trasera vi un gran letrero amarillo en el que acerté a leer en letras negras,

PENITENCIARÍA DE LA REPÚBLICA ITALIANA. NO PASAR.

Me incorporé de un salto. Ella permaneció unos instantes aturdida. No se lo explicaba.

—No sé, me perdí —decía—, no sé cómo hemos llegado de nuevo hasta aquí, no reconocí la carretera.

No di muestras de acritud, tampoco tenía demasiada importancia, pero admito que la situación me incomodó. Había dormido, y mi desactivación del mundo no había funcionado en este caso como agente reparador. Las bragas que ella había tirado hacía 1 mes y medio aún estaban prendidas en los matorrales, picoteadas por pequeños animales.

Soy de la opinión de que cuando la vida dibuja una línea que al fin se revela curva, exactamente curva, es decir, cuando regresa exactamente al punto del que partió, es que en ese punto existían dos posibilidades y elegiste la incorrecta, la que provoca que la contingencia se haya esfumado de tu vida para caer en un abstracto bucle determinista, en un atractor estable; hechizos de estabilidad que hay que romper. Por este motivo le dije que deberíamos coger, ahora sí, esa carretera de la penitenciaría.

No tuve que convencerla.

21

La carretera que se abría ante nosotros no difería en nada de otras similares que habíamos visto meses atrás. Interpreté que allí siempre soplaba el viento al ver que los matorrales crecían oblicuamente. Conducía yo.

Tras media hora escasa vimos a lo lejos una construcción de dimensiones indeterminadas y forma cuadrangular. Sobresalía su tejado por encima de unos altos muros de piedra rematados con torretas de vigilancia en cada vértice que la rodeaban. Todo el conjunto se hallaba precedido por una serie de alambradas de espinos en espiral.

Casi era mediodía.

Mientras nos acercábamos fueron apareciendo a ambos lados de la carretera lo que parecían haber sido nidos de ametralladoras, sobre los cuales siempre había gaviotas mirando al sureste.

Llegamos a un punto en el que, en contra de lo que habíamos supuesto, la carretera no pasaba de largo ante la penitenciaría sino que moría ahí, terminaba justamente en el primero de los 3 portalones de alambradas.

No hubiéramos traspasado ni la primera puerta si no fuera porque a lo lejos, en el último portalón, había un letrero colocado simétricamente entre dos torretas de vigilancia, que ponía con letras grafiteras,

SING-SING

AGROTURISMO

Avanzamos. El motor en primera. Entre valla y valla de alambre crecían hierbas muy altas, cada vuelta de la espiral de alambre medía por lo menos 2 personas de altura. Traspasamos el último portalón, que se recortaba en el muro de piedra, y entramos a un patio que sin duda había sido en su día el de recreo de los presos, una especie de claustro, reconvertido hoy en un jardín de unos 75x75 m^2. De un ubicuo hilo musical, a bajo volumen, salía la banda sonora de *Desayuno con diamantes* en una versión sobresaturada de violines. El jardín estaba diseñado con caminitos de grava y setos bien cuidados que separaban las diferentes zonas de césped. Los árboles, todos de una misma raza que no identifiqué, se hallaban diseminados, ocultando una pequeña fuente en el centro. Con el coche rodeamos el jardín en todo su perímetro. Las cuatro fachadas interiores caían verticales, en ellas se disponían matricialmente multitud de pequeñas ventanas sin rejas, perfectamente ordenadas. Bajo un árbol dos pequeños perros copulaban.

Tras dar una vuelta entera al jardín, siempre con el motor en primera, vimos una puerta de madera bajo unos soportales, y a su lado un pequeño letrero, de aspecto muy nuevo, que en tipografía *Andale-Mono* anunciaba la recepción. Apagué el contacto.

Un hombre tardó varios segundos en levantar la vista de algo que ocultaba tras el mostrador cuando entramos. Se quitó las gafas de leer, nos miró y dijo,
—Bienvenidos —sin énfasis.

El precio nos pareció razonable.
Nos condujo a nuestra habitación.

22

Una vez vista en su totalidad, la construcción tenía, en efecto, base cuadrada. El citado jardín interior estaba delimitado por las 4 alas que constituían la construcción en sí. Dentro de cada una de esas alas se extendía un pasillo central que se sucedía a derecha e izquierda en celdas, una detrás de otra, así hasta 75 m de longitud y 3 pisos de altura. Más que un pasillo central era una calle central, pero cubierta [pensé en un centro comercial], en la que mirabas hacia arriba y veías los 3 pisos de celdas a los que se accedía por escaleras y corredores metálicos. Debía de haber más de 1.000 habitaciones.

La nuestra estaba en el tercer piso, con una pequeña ventana que daba al jardín interior, más allá del cual se veía también parte del horizonte. Televisión, cama de matrimonio, ducha, lavabo, aire acondicionado y todo lo que se puede esperar de un agroturismo de 3 estrellas. La puerta aún era la de la celda original, metálica, con una trampilla a la altura de los ojos. El suelo, las paredes y las lámparas presentaban un aspecto pulcro, de quirófano. La cama y las mesillas, también metálicas, estaban atornilladas al suelo y las paredes. Nada más dejar el equipaje fui al lavabo y me eché agua en la cara. Me miré al espejo. Me vi cansado. No notaba el cansancio, pero, como si estuviera actuando, mi rostro era de cansancio. La toalla de manos, blanca, con la que me sequé, no tenía membrete ni logotipo alguno.

23

Esa misma noche tomamos antes de la cena un vermouth, sentados en unas mesas que había en el jardín del claustro. Él mismo nos lo sirvió con amabilidad distante, en absoluto muy diferente a otras actitudes que habíamos visto en los hoteleros de esa isla.

—Me recuerda a Kusturica, el director de cine, pero en viejo y con el pelo gris —me dijo ella mientras agitaba los cubitos de hielo del vaso cónico, y continuó—, es bastante atractivo, ¿no?

Comprendí que era una comparación acertada.

Paseamos la mirada por la matriz de ventanitas cuadradas que nos rodeaban; habíamos dejado la luz de la habitación encendida. Aún no se había puesto el sol pero la oscuridad hacía tiempo que había llegado a las celdas.

Le comenté que antes de ser agroturismo y antes de ser cárcel, tenía toda la pinta de haber sido un monasterio. Ella asintió. Parecía que de repente coincidíamos.

Dejamos las bebidas a medias y nos levantamos para ir a cenar. A mí jamás se me hubiese ocurrido, pero ella, que de vez en cuando compraba una maceta para poner en la terraza, y que en sus sueños a veces aún se le aparecían hortensias en anuncios de televisión, al pasar por delante de los setos perfectamente cortados deslizó su mano por las hojas. Se detuvo en seco. Se inclinó sobre la masa verde, comenzó a tocarla con fruición, se volvió y me dijo,

—¡Joder, son de plástico!

Se acercó a un árbol, a otro seto, palpó el césped, las piedras,

—¡Todo el jardín es de plástico! —insistió.

Entonces yo también pasé mi mano por la vegetación y, en efecto, había allí 75x75 m^2 de falsa vegetación. Probablemente no le habrían sacado brillo en años, acumulaban tanto polvo que esa pátina le confería un aspecto real.

Mejor dicho: ya era real.

Camino del comedor, al pasar por la recepción vacía, ella cogió varios folletos y trípticos de actividades y puntos turísticos de la zona; nunca los miraba, pero acumulaba montañas en el coche. Yo le comenté algo acerca de si también la comida sería de plástico. Ella me dio con el codo.

Mesas muy largas ocupaban todo aquel gran espacio, acompañadas de bancos también corridos. En el extremo de una de las mesas, vimos un pequeño mantel con 2 cubiertos y 2 platos enfrentados. Unos 10 metros más allá, en la misma mesa, y sobre otro mantel también biplaza, cenaba ya él, solo. Sorbía una sopa que despedía un fuerte olor a cordero sin castrar. Dedujimos que éramos los únicos clientes.

Por eliminación, nos sentamos en aquel primer y único mantel. Él se levantó sin decir nada, se metió en las cocinas atravesando una puerta de aluminio de doble bisagra que quedó volteando casi el mismo tiempo que tardó en salir con una fuente de verduras a la plancha y una jarra de vino tinto. Se movía lentamente. Dejó todo sobre nuestro mantel y regresó a su plato.

El resto de la cena fueron secuencias similares pero con espaguetis a la boloñesa, un fortísimo cordero hervido y fruta fresca. Ella y yo nos mirábamos por momentos, riéndonos en silencio, o haciéndonos muecas cuando uno se percataba de las lámparas tipo explotación ganadera que colgaban del techo, o de la superficie de la mesa, llena de nombres, corazones, mensajes y dibujos grabados a navaja hasta donde alcanzaba la vista; vestigios de los antiguos presos.

24

Los primeros días los empleamos en diversas ocupaciones: limpiar el coche, tomar el sol en el terrado, beber vermouth, y yo en escribir cuando me cansaba de zanganear. Ella comenzó a replicarme por cualquier cosa; de repente todo lo que antes era un detalle inapreciable, ahora constituía una fuente de contrariedades, cosa que ella interpretó como signo inequívoco de cansancio por su parte.

Fue la tercera noche, al entrar en el comedor para cenar, cuando vimos un plato más, justo al lado de los nuestros; nos preguntamos quién sería el nuevo huésped. Al cabo de unos minutos apareció él, se sentó delante de ese plato, frente a mí y al lado de ella.

Nos dijo hola con una mueca más amable de lo normal.

Devolvimos el saludo. Mantuvimos silencio hasta entrado el segundo plato, cuando él sacó un cigarrillo, rebuscó por sus bolsillos como buscando un mechero que no encontraba, y al cabo de unos segundos, ella, espontáneamente, me dijo,

—Pásame el encendedor.

Y se lo pasé. Y ella se lo dio a él. Y él lo manoseó durante unos instantes. Y tomó fuego mirando directamente la llama. Y se lo pasó de nuevo a ella, y cuando iba a guardarlo en su bolsillo, le dije,

—Pásame el encendedor.

Y ella me lo pasó y encendí un cigarrillo, y antes de que pudiera metérmelo en el bolsillo, ella me dijo,

—Eh, pásame el encendedor.

Y se lo pasé y ella sacó un Marlboro de su bolso y lo encendió, e hizo ademán de guardar el mechero dentro de la cajetilla, pero él le hizo una señal para que se lo volviera a pasar ya que su cigarro estaba mal encendido. Y ella se lo pasó, y él reencendió su cigarrillo, y se lo devolvió, y ella hizo de nuevo ademán de guardarlo dentro de la cajetilla, y yo le dije,

—Eh, pásame el encendedor.

Y ella me lo pasó y me lo guardé en el bolsillo de la camisa. Entonces él, mirándola a ella y sólo a ella a los ojos, dijo,

—Gracias —y rompió a reír.

A partir de ese momento comenzamos a hablar. Al principio de asuntos banales: de dónde era cada cual, a qué nos dedicábamos, y así supimos que era un coleccionista e investigador de textos antiguos; no especificó de qué época. Fue así como también supimos que había comprado la antigua prisión hacía 5 años, y que el agroturismo era una excusa para mantenerse lo suficientemente aislado del mundo como para dedicarse a su pasión; su argumento fue el siguiente:

—Esto de los agroturismos aquí está muy subvencionado, y como, disuadidos por el cartel de la penitenciaría, no vienen clientes, me embolso ese dinero que me da el Estado y me dedico a lo que yo quiero.

Lógica aplastante, pensé.

En un momento dado nos presentamos todos y supimos que él y yo teníamos el mismo nombre, Agustín, coincidencia que nos hizo reír otro buen rato.

Nos sorprendió la vivacidad de su conversación y su capacidad de seducción. Sobre cada libro hilaba historias y anécdotas que lo llevaban de un lugar a otro. Le escuchábamos atentamente, yo sólo decía, «¿Más vino?», y llenaba las 3 copas. Ella, ni palabra. Cuando la sobremesa hubo avanzado, se empeñó en enseñarnos dónde vivía y dónde trabajaba.

Nos condujo tras él hasta una puerta situada al fondo del comedor y entramos en algo que tenía aspecto de vivienda,

—Aquí es donde vivía el director de la prisión —dijo exactamente.

Eran varias salas en las que se pasaba de una a otra directamente, sin pasillo, habilitadas con lo imprescindible para vivir; podría decirse que la decoración era un concepto inexistente. Vi sobre la chimenea una hilera de miniaturas de goma tóxica compuesta por Capitán América, Los 4 Fantásticos, y otros Marvel que no recuerdo. Nos enseñó aquello apresuradamente, como si todo fuera un mero trámite para llegar al lugar que producía brillo en sus ojos cada vez que lo nombraba: el estudio.

Salimos de la vivienda por una puerta trasera y fuimos a dar a una especie de huerto rectangular en mal estado, rodeado de muros de piedra, que no habíamos visto hasta entonces. Una fila de luces de verbena colgando de dos hilos que iban de muro a muro del huerto alumbraban débilmente en colores un camino de hierbajos. Al final, una caseta de ladrillo. En todo el trayecto no dijo ni palabra, ni siquiera cuando al intentar abrir la puerta de la caseta ésta se atascó y tuvo que darle un golpe. Entonces, haciendo una especie de reverencia, dijo, «Pasad, pasad», y se quedó en el umbral. Ella entró primero; él la miró muy detenidamente.

Lo que nos encontramos fueron cuatro paredes forradas literalmente de estanterías con libros de lo que parecían ser todas las épocas, y una mesa de cristal y patas metálicas en un rincón, sobre la que había un ordenador portátil en marcha. En esa mesa, aseguró, se pasaba días enteros consultando textos, archivando separatas, buscando indicios de libros supuestamente extraviados y de gran valor. Por allí desperdigados vi objetos de aspecto también antiguo, figuritas feísimas, relojes a medio componer, estilográficas con la punta reseca, más superhéroes Marvel, cosas así.

No recuerdo mucho más sobre aquella noche salvo que lo pasamos bastante bien sentados en sus sillones de cuero en torno a unas copas de licor de mirto.

En los siguientes 4 días no lo vimos.

25

Cuando nos levantábamos teníamos el desayuno sobre el mantel, en la misma mesa de siempre, con una nota, «estoy ocupado», y esto se repetía a la hora de la comida y la cena. Sólo oíamos el sonido de una música que parecía venir de su estudio. Canciones napolitanas a todo volumen. Canciones clásicas que conocíamos por la tele y las películas, y de las que *Oh sole mio!* podría ser una significativa representante.

Empleábamos el tiempo haciendo excursiones en coche por la zona. Descubrimos que el mar se hallaba a 2 km hacia el sur. Una tarde, sentados en la playa, distinguimos a lo lejos una forma, una especie de isla en la que sobresalían torretas. También llegamos a una playa de gran longitud que en vez de arena estaba compuesta en su totalidad por granos de arroz; cuarzo blanco pulido con las mismas dimensiones y forma elipsoidal que un grano de arroz. Era tremendo tirarse allí, en aquella paella, como a la espera de ser cocinado.

26

Al quinto día reapareció a la hora de comer. Estaba muy contento, decía que había hecho grandes progresos en sus investigaciones y que eso había que celebrarlo. No comentó nada en concreto pero por lo que entrevimos era algo importante, algo que, afirmó, lo tenía enfrascado desde hacía casi 2 meses, cuando, debido a causas que no aclaró, sus investigaciones habían dado un vuelco. En esa ocasión recalcó varias veces que lo que tenía entre manos sería la indagación más importante de su vida.

Esa noche nos retiramos pronto. El sol y las caminatas nos tenían rotos. Ella se acostó, pero yo subí a la azotea, hacía una noche preciosa de luna casi llena. A un lado se veía el jardín de plástico de la entrada, estático, no se movía ni una hoja, y del otro lado emergía el resplandor de la luz de su estudio, imposible de ver de manera directa; y su música. Fumé un cigarrillo, contemplé a lo lejos la isla que habíamos descubierto desde la playa, con sus torretas, sin duda militares, salpicadas de luces. Después bajé las escaleras metálicas, caminé por el corredor también metálico que pasaba por delante de las puertas de las celdas, algunas cerradas, casi todas entreabiertas, y nada más llegar a la nuestra me acosté. Pensé en ese momento en el cuadrado de luz de la ventana, en ese resplandor de los faros que guía a los extraviados, en el clic de interruptor de luz que separa el norte de la pérdida, y en que probablemente no hubiera en muchos kilómetros a la redonda nadie para verla. Ella respiraba a mi derecha. Apagué la luz.

27

Pasaron varios días en que tampoco lo vimos, pero ahora ya ni se molestaba en prepararnos la comida, a través de notas escritas con mala caligrafía nos decía que, directamente, entráramos en las cocinas e hiciéramos allí lo que quisiéramos.

Comenzamos a pasar bastante tiempo en esa cocina. Cuando uno viaja, nunca tiene acceso a ese lugar tan común de las casas. Da seguridad.

Fogones típicamente industriales, encimeras de acero, despensas herméticas por todas partes, como una biblioteca pero de alimentos.

Como si ese espacio reavivara una esencia juguetona de infancia, la primera vez que entramos nos besamos y escenificamos el cliché de provocar ella su persecución por entre los pasillos que dibujaban las encimeras para al final dejarse coger y hacer yo con ella lo que quisiera. Era una tontería, pero por primera vez en mucho tiempo la vi reír.

En un lateral había una puerta también de acero muy gruesa que daba a la habitación-congelador. La abrimos. Nos cubrió un humo blanco de hielo. Entrevimos varios cuerpos de ovejas en canal colgados de un gancho. «¡Joder!», dijo ella. A mí no me impresionó. Había también unas cabezas de cerdo seccionadas de una manera bella y extraña, perpendicularmente al hocico, que dejaba ver la rocambolesca estructura de las fosas nasales, como de fractal; dejé que se descongelaran un poco y les saqué una foto. Después ella hizo la comida. Yo tiré las cabezas al terreno de atrás, que casi no rodaron.

28

Una mañana estábamos preparando el desayuno en la cocina. La oveja ya estaba casi hervida cuando él apareció. Abrió la puerta de doble hoja de un solo golpe y dijo,

—¿Hay algo de comida para mí?

Desaliñado, la barba cana de varios días lo envejecía.

Desayunamos los 3 allí, de pie junto a unas ollas de aluminio tamaño colegio. Estuvimos charlando un buen rato, se mostraba efusivo ante cualquier comentario; decía estar muy contento. «Grandes progresos», afirmaba sin parar.

Apuró el café, devoró el bocadillo de oveja hervida y se marchó.

29

Una mañana me despertó el sol. Nos habíamos olvidado de cerrar las contraventanas. Ella dormía profundamente, a mí me había sentado mal la cena y no había conciliado el sueño hasta muy entrada la madrugada; me sentía pesado. Me levanté.

No recuerdo la hora con exactitud pero serían aproximadamente las 6. Me lavé la cara y la boca empleando especial atención a la lengua y a un principio de caries, la toalla estaba muy sucia, decidí ir a coger otra limpia a alguna de las habitaciones contiguas.

En la más próxima, no había toalla alguna, ni en la siguiente, ni en la siguiente. Hasta la octava no la encontré. Por simple curiosidad continué caminando por el corredor.

El suelo de rejilla a través del que veía el vacío me mareaba un poco. Al otro lado, me acompañaban los corredores de la «acera» de enfrente. Si te asomabas, ahí estaban los tres pisos de altura, y abajo, la especie de calle distribuyéndolos a derecha y a izquierda. Fui abriendo celdas, en todas la misma puerta metálica con una trampilla a la altura de los ojos. Dentro, también todas eran la misma; por algún motivo que desconozco, esa repetición me excitó. Bajé las escaleras hasta el segundo piso e hice lo mismo: abrir puertas, entrar, observar unos segundos, pensar en el hombre que algún día estuvo allí matando el tiempo, e irme. Y así hasta que bajé al pasillo central y subí por las escaleras metálicas del otro lado, que daban a las celdas situadas frente a la nuestra. En cierto modo, pensé, observar todas estas celdas es como aquel juego que sale en los periódicos de buscar las 7 diferencias en 2 dibujos aparentemente iguales. Continué abriendo y cerrando puertas. Sólo hallé una diferencia. En una de las celdas del segundo piso encontré sobre la mesilla de noche una máquina de escribir, abrí un cajón y vi una pila de hojas sin usar de dimensión DIN-A4. Instintivamente cogí ambas cosas. Era justo lo que necesitaba para pasar a limpio mis notas. Era imposible que él notara la diferencia; jamás le había visto acercarse a esas habitaciones. Salí y vi que en nuestra habitación, casi justo enfrente, ella ya se había levantado. Salía del baño, desnuda, y pensé que no me arrepentía de haberla elegido.

Regresé. En una mano la máquina de escribir, en la otra los folios, y la toalla blanca que había ido a buscar, echada al hombro.

Los días siguientes me encerré a teclear de la mañana a la noche las notas dispersas que había ido anotando en mi libreta de espiral. Ella me subía la comida.

30

Aunque las normas del agroturismo especificaban la exigencia de pagar por semanas, hacía tiempo que eso no ocurría. Habíamos perdido la cuenta exacta del tiempo que llevábamos allí. Ayudados de un almanaque que tenía en la recepción contamos 18 días. Hice las cuentas, ella me esperó abajo, fui a nuestro cuarto y cogí el dinero.

Igual que días atrás, para llegar a su estudio había que atravesar su casa. Al pasar por el salón ella se sentó un momento, miró alrededor, cerró los ojos y dijo con un suspiro,

—Me gustaría estar ya en casa —mientras yo manoseaba las figuritas Marvel de goma tóxica que había sobre la chimenea.

Salimos por la puerta que él nos había enseñado, atravesamos el huerto hacia la caseta bajo las oscilantes bombillas de feria, y golpeamos su puerta. Cesó la música; tras unos segundos abrió. El contraluz no nos permitió ver muy bien su cara. Ella disparó,

—Hola, venimos a pagarte...

Él la cortó en seco:

—Ah, vale, me vendrá bien el dinero, pasad.

Todo estaba más revuelto que de costumbre; llamaba la atención el olor a cuadra.

Avanzamos esquivando sillas, libros y cachivaches, iluminados por diferentes haces de flexos que se repartían por la habitación. Ambos debimos de verlo al mismo tiempo porque nos detuvimos en seco. En el suelo, al lado de su mesa de trabajo, yacía una funda de guitarra Gibson Les Paul, negra, y en su interior algo que identificamos como todo lo necesario para el Proyecto, nuestro Proyecto.

Dijo sin mirarnos,

—Ah, sí, es en lo que estoy trabajando.

Alzó la vista buscando nuestros ojos y sentenció,

—Es un proyecto, un proyecto colosal que me ha hecho olvidar hasta el estudio de mis libros.

No pude articular palabra; tras un par de segundos ella reaccionó:

—¿De dónde lo has sacado?

—Lo encontré en la playa —contestó—, lo trajo el mar en esa funda de guitarra. Pero no os puedo contar nada más, es un secreto, ya os digo, algo colosal.

Sentí una especie de mareo, una presa de sangre en mi cabeza pidiendo que se abrieran las compuertas, no sé, creí que me iba a desmayar, y en esa turbación surgió la pregunta, la pregunta que hice por pura intuición pero sin saber bien de qué clase de intuición se trataba, ni siquiera fue una corazonada, fue algo que vino de un lugar más lejano y profundo que las corazonadas:

—¿Cómo te llamas?

Me miró alzando una ceja de sorpresa y contestó,

—Agustín, ya lo sabes.

—No —insistí—, tu nombre completo.

—Agustín Fernández Mallo, ¿por qué? —respondió.

Cuando algo te supera en muchos dígitos, te vuelves dócil, sencillamente te dejas llevar. No tuvimos valor para decir nada. Nos fuimos casi al momento. Se nos olvidó pagar.

31

Durante toda la noche estuvimos despiertos, comentando que era imposible que él supiera mi nombre; el día de llegada no nos había pedido documento alguno ni nos había hecho firmar en el registro. Sin duda lo había leído en las notas que había dentro de la funda de guitarra. No podía ser de otra forma. Pero eso sólo era una justificación apresurada producto de los nervios, ya al cabo de unos minutos admitimos que dentro de aquella funda de guitarra no había nada que revelara mi nombre.

Ella entró en una especie de estado de pánico, modulado por mi presencia, pero al fin y al cabo pánico. Yo, en un aturdimiento.

Le dije que no podíamos permitir que nos robara el Proyecto; lo consideraba impensable. Ella quería irse, irse en ese mismo momento, aun a costa de olvidar el Proyecto. Propuso, por darle gusto a mi insistencia, que, en un momento dado que él no estuviera en su estudio, podíamos entrar, quitárselo y largarnos, pero yo no lo vi claro. Una mezcla de rabia y curiosidad me llevaba a querer quedarme, a investigar hasta qué punto sabía, a comprobar hasta dónde podía llegar él en la comprensión y ensamblaje de aquellas piezas dispersas que permanecían en la funda de la guitarra. No podíamos irnos.

Antes de acostarnos la convencí para quedarnos unos días más.

32

Decidimos no volver a salir de la habitación salvo para ir a por comida. La subíamos con toda la celeridad que nos era posible. Yo tecleaba y el trallazo de cada pulsación se mezclaba con el rumor de las canciones napolitanas. A ella a veces se le hacía insoportable.

En una ocasión nos lo cruzamos. Salíamos de la cocina y él entraba con un aspecto más cercano a un aparcacoches que a un erudito bibliófilo.

—Vaya, cuánto tiempo. ¿Qué hacéis todo el día allí arriba?

—Estamos trabajando —me salió sin pensar.

—Ja, yo sí que trabajo, yo sí que trabajo. Venid un día a casa y tomamos algo, por la noche, que es cuando descanso.

—Vale, vale. Ya nos veremos.

33

No sé cómo se le ocurrió ir allí porque ella nunca daba muchas explicaciones, pero un día me dejó solo. Teníamos la puerta de la celda abierta y no me enteré de que se iba. Ella muchas veces salía al corredor y se sentaba en el suelo de rejilla, en el borde, con los pies colgando al vacío, fumaba y miraba la sucesión de puertas de celdas que tenía enfrente. Decía que le relajaba el eco del repiqueteo de mis teclas, que era como si en vez de ser una máquina de escritura fuese una máquina de borrado, como si a cada golpe se borrara un fragmento de todo lo que deseaba olvidar.

Enfrascado en mis notas, no me di cuenta de que se había ido.

Oí unos pasos correr por las escaleras metálicas, primer piso, segundo piso, tercer piso, y después el inconfundible sonido de una carrera. Temblando, atravesó la puerta, se sentó en la cama, le hice beber agua, y aún jadeante me contó que había ido a la cocina y que entonces tuvo el impulso de meterse en la casa de él. Estuvo curioseando a sabiendas de que no vendría ya que se oía música en el estudio. Tras observar las fotos dispersas por las cómodas, y los libros de la biblioteca, que curiosamente eran todos novelas baratas, de género policíaco, abrió un armario ropero y descubrió, perfectamente apiladas, todas sus bragas sucias, todas la bragas que día a día había ido tirando al cubo de la basura, una pila de bragas sucias muy bien dobladas, y fue entonces cuando salió corriendo.

No es que el hecho de que investigara en nuestra basura cambiara mucho las cosas para mí, pero para ella fue definitivo.

—Yo me voy —dijo—, si vienes conmigo, bien, y si no, también.
Yo no podía irme. No podía dejarlo todo así, abandonar el Proyecto.

34

Decidimos que ella se llevara el coche. De cualquier manera era una decisión obligada porque no había otra forma de salir de allí. Quedamos en que yo cuando quisiera irme le pediría a él que me llevase al pueblo más cercano y allí ya me movería en bus o como fuera hasta el aeropuerto.

La fecha exacta no la recuerdo. Era una mañana de principios de septiembre, la acompañé hasta la última alambrada en espiral de espinos. Nos besamos. Me quedé observando el humo del escape hasta que desapareció.

35

Dejé que pasaran unos días, pero lo tenía decidido: le expondría a las claras qué era aquello que él tenía entre sus manos, cuánto nos había costado idearlo, pulirlo, diseñarlo, le mostraría mi decisión irrevocable de que nos fuera devuelto.

Así, a la siguiente semana de que ella se fuera, me dirigí una tarde a su estudio. Toqué con los nudillos. El volumen de la música disminuyó y abrió para acto seguido decir,

—Vaya, estás aquí, al no ver el coche pensé que os habíais ido sin pagar.

Me invitó a pasar.

Sentados el uno frente al otro, permaneció en total silencio mientras le conté todo, cómo había llegado la maleta de la Gibson a su poder, incluso entré en los detalles de aquel bar que se parecía mucho a otro de las Azores, del muelle por el que paseamos, de cómo habíamos tirado la funda de guitarra al mar, y hasta le hablé de la muerte de la gata, le expuse todo y le expresé mi exigencia de que todo nos fuera devuelto.

Cuando hube terminado, se levantó, se sirvió un licor de mirto, que me ofreció y rehusé, y aún de pie me dijo,

—Eso es imposible, usted no es el dueño de esa funda de guitarra ni de su contenido ni de ese proyecto. Para empezar, eso de que se llama usted como yo, Agustín Fernández Mallo, tendrá que demostrármelo. Usted es un loco o un caradura.

Me palpé el bolsillo de atrás del pantalón, buscando la cartera; me di cuenta de que no la tenía. Me estremecí al recordar que se había quedado en el coche, en la guantera, no tenía manera de dar fe de mi identidad. En ese momento me di cuenta también de que en esa guantera estaba mi teléfono, no podía llamar a nadie que corroborara mi versión.

—Lo ve —dijo con contundencia—. ¿A quién quiere engañar? Agustín Fernández Mallo soy yo, esto es de risa. Lo que contiene esa maleta de guitarra es mío.

Me levanté, me aproximé a su mesa. Él me siguió, allí estaban todas nuestras cosas referentes al Proyecto, las toqué, las manoseé hasta donde él me dejó. Fingí calmarme para en cuanto tuviera oportunidad cogerlo todo y salir corriendo, o por lo menos coger varios componentes sin los cuales sabía que era totalmente inviable la materialización del Proyecto. Entonces me mostré interesado, y debo admitir que sentía curiosidad por saber qué estaba haciendo con todo aquello. Poco a poco lo fui ganando, hasta que me dijo,

—Mira, esto es.

Puso en mi mano un fajo de folios que extrajo de un cajón. Serían unos 100, escritos en procesador de textos, los apreté entre mis manos, no podía creer que aquel tipo hubiera pensado que el Proyecto, nuestro Proyecto, consistía en realizar un texto, un simple texto, una tontería que cualquier escritor del tres al cuarto podría haber hecho. Decididamente aquel tipo era un patán, un burro que no se merecía tener entre sus manos aquella funda de guitarra con todas las claves de semejante Proyecto dentro. Mientras él se servía otro licor, comencé a leer por encima la primera página:

Parte 1
MOTOR AUTOMÁTICO DE BÚSQUEDA

Hay una historia real, además de muy significativa: un hombre regresa a la ciudad abandonada de Prípiat, en Chernóbil, tras haber huido 5 años atrás con el resto de la población, cuando ocurriera la explosión de la Central

Nuclear, recorre las calles absolutamente vacías, los edificios en pie y en perfecto estado le van recordando la vida en esa ciudad, no en vano fue uno de los obreros que contribuyó, en la década de los 70, a su construcción, llega a su calle, busca las ventanas de su piso en el conjunto de bloques de edificios, observa las fachadas detenidamente un par de segundos, 7 segundos, 15 segundos, 1 minuto, y dice dirigiéndose a la cámara, No estoy seguro, no estoy seguro de que aquí estuviera mi casa, vuelve a detener la mirada en el bosque de ventanas e insiste, sin ya mirar a cámara, No lo sé, no lo sé, quizá sea ése, o aquel de allí, no lo sé, y este hombre ni llora ni muestra afectación alguna, ni siquiera perplejidad, ésta es una historia importante en lo que se refiere a la existencia de parecidos entre cosas, yo podría haberle seguido la pista a este hombre, haber investigado su pasado, sus condiciones de vida actuales, sus fiestas patronales y dramas domésticos, la cantidad de *milisieverts* que recibió su organismo años atrás en forma de radiación gamma, alfa y beta,

me detuve, pasé varias páginas al azar y continué leyendo,

vista, la misma obsesión que, luego lo supimos, había nacido en Las Vegas aquellas noches de silencio mineral en que leíamos un libro llamado *La música del azar* de un tal Paul Auster, y después fumábamos Lucky Strike y oíamos cómo miles de camareros preparaban cócteles a miles de personas vigiladas por techos con miles de videocámaras, sí, quiero decir que mientras veíamos todas aquellas películas y teleseries en casa, mientras comíamos aquellas pizzas y bebíamos aquel frío vino blanco ninguno sabía cosa alguna de las intenciones del otro, del Proyecto colosal que estaba gestando el otro, destinado a modificar nuestras vidas, y de todo eso hablamos aquel día en aquel bar de una isla al sur de Cerdeña que se parecía a otro de las Azores, Qué raro, había dicho ella, que todo eso, que todo esto, quepa en la maleta de una guitarra Gibson Les Paul, que algo tan colosal pueda ser reducido a unos pocos centímetros cúbicos, a una

y fui directamente al final, sin dar crédito a lo que veían mis ojos,

pero todo esto ya no lo pensé aquella noche en que me quedé dormido en el Lancia con la última visión de sus pechos saliendo de la gabardina, dos huevos fritos estampados, una casualidad, quizá, no sé, yo creo mucho en las casualidades, un escritor llamado Allen Ginsberg, en la Norteamérica de los años 40, escribió la siguiente frase a la edad de 17 años, «seré un genio de una u otra clase, probablemente en literatura», pero también dijo, «soy un chico perdido, errante, en busca de la matriz del amor».

en ese momento él me quitó de un golpe los papeles de las manos y dijo,

—Ya es suficiente. Y, por cierto, a ver cuándo me paga. Espero que ese día me haga saber su verdadero nombre.

Metió todo en la funda de la guitarra, la cerró, le dio una patada y fue a parar debajo de un mueble, cogió el texto en una mano y se metió en el pequeño lavabo que tenía en un lateral. Mientras oía el sonido de la parábola descrita por su orín al impactar contra el agua, tiré del cable del enchufe de su PC portátil, lo agarré con las dos manos y eché a correr; en el intento tiré al suelo una pequeña impresora a la que el PC estaba conectado, por no detenerme a desengancharla la agarré también y me largué a toda prisa.

Ni me siguió, ni gritó. No dijo nada.

36

Me encerré, ahora sí, a escribir sin parar, supongo que como medida de defensa. No podía pensar, no quería pensar. Continuaba oyendo el sonido de sus canciones napolitanas, y no entendía cómo él podía haber escrito todo aquello, cómo podía saber, no ya esos detalles, sino el conjunto de mi vida, porque desde luego, dentro de la funda de guitarra no podía haber hallado toda esa información tecleada que trataba de mi vida desde hacía muchos años hasta poco más de un mes, antes de llegar al agroturismo. Lo consideré imposible. Para colmo, cuando encendí su PC en busca de alguna pista, comprobé que estaba vacío de carpetas personales, no había allí ni un solo archivo, ni de texto, ni de imagen, ni de sonido, ni de nada, ni siquiera programas, ni siquiera tenía instalado procesador de textos alguno, nada, era un cerebro vacío, como ya el mío, pensé, sin identidad, como preparado para que nunca más fuera reescrita o construida la vida. Solamente, en lo que parecía constituir una especie de broma macabra, encontré una sucesión de carpetas vacías, las unas dentro de las otras, que se llamaban sucesivamente Sing-Sing1, Sing-Sing2, Sing-Sing3, Sing-Sing4..., prolongándose hasta una cifra que superaba las 200, y que a efectos prácticos me pareció la más exacta representación de la infinita soledad del interior de una cárcel también infinita con un solo hombre dentro. Abriendo y abriendo encontré en la última carpeta, allí oculto, un rudimentario programa de tratamiento de imágenes. Pero eso de nada me valía. Ahora entendía por qué ni se molestó en perseguirme cuando me llevé ese trasto.

Por las noches comencé a sufrir pesadillas, y por la mañana a veces incluso me despertaba convencido de que no tenía identidad, o de que era yo el impostor, que como si de un telefilm barato se tratara, todo lo había soñado, que desde mi nacimiento había estado soñando la vida de él, de Agustín. Poco a poco, cuando pensaba en él comencé sin darme cuenta a llamarlo así, Agustín, y a mí a designarme con un simple «yo». Otras veces, cuando me calmaba, pensaba que quizá él era un brujo, un vidente, algo que rebasaba toda genialidad conocida, y que a través de los objetos que había dentro de la funda de guitarra, objetos que habíamos parido ella y yo, con sólo tocarlos y a través de una especie de desconocida descarga energética podía venir a él todo nuestro pasado, verlo, tenerlo claramente ante sus narices como quien ve una película, y finalmente poseerlo. Hipótesis que a ningún sitio me llevaba. Viendo la cama y las mesas de mi habitación, atornilladas a paredes y suelo, llegué a especular que aquello era un camarote y todo el agroturismo un trozo de trasatlántico varado en un mar ahora seco, donde habían existido peces, algas, mareas, puertos, bares donde los marineros se dejan mensajes prendidos con chinchetas a un gran corcho tirado ahora por ahí, en mitad de ese páramo, en lo que en su día habría sido el fondo del mar, y que los papeles y las letras de aquellos mensajes serían ya el polvo y moléculas del aire que yo respiraba, de los objetos que tocaba, de las hortalizas que comía, y esto me produjo una profunda inquietud que nunca llegó a desaparecer.

Decidí buscar un método de cerrar la habitación por dentro. Como todo estaba atornillado a suelos y paredes, no había muebles que arrastrar e interponer ante la puerta, así que arranqué 15 teclas de la máquina, cada tecla con su correspondiente palanca, y las encastré entre la puerta y el marco emulando los puntos de seguridad de las puertas blindadas domésticas. Si él se empeñaba podría abrirla igualmente, pero no me cogería desprevenido. Tardé en elegir las letras que iba a arrancar, en cierto modo era como arrancar parte del ADN que me permitiría escribir, sobrevivir. Al final me decidí por las teclas de puntuaciones, barras y acentos, y cuando se me acabaron tuve que sacrificar la X y la W.

Hallé cierta tranquilidad, pero pasados unos días dejé de escribir, me atasqué, no pude más, tomé conciencia de mi verdadera situación: estaba en una celda, sin medio de transporte alguno, con la personalidad usurpada, y me abandoné a un estado de indolencia. Me pasaba el día viendo la tele y bebiendo agua. El ser humano aguanta sin comer aproximadamente tres meses, pero sin beber no más de tres o cuatro días. La proximidad del mar le daba al agua un componente salino que emulaba en la medida de lo posible a los sueros de supervivencia. También sabía que una persona se muere antes por no dormir que por no comer, que no dormir termina por volverte loco, así que cerraba los ojos cuando llegaba la noche en un intento de olvidar, pero no conseguía conciliar el sueño más de una hora seguida. Me levantaba, me lavaba la cara, y la suciedad acumulada en la toalla blanca me hacía pensar que ahora sí que ésta poseía un membrete o logotipo, el de la infamia a la cual yo estaba sometido. Me miraba al espejo y veía a un gemelo envejecido.

Tomado por una especie de Síndrome de Estocolmo, pasaba todo el día ante el receptor de televisión, agotando la programación, de carta de ajuste en carta de ajuste, y eso me hacía recordar en ocasiones mi época de estudiante, esa época que ahora él, Agustín, tenía consignada en aquellas hojas infames, la época en la que había comenzado a escribir, cuando bajaba a las 9 de la noche a por tabaco y regresaba a casa sintiéndome Dios ante la máquina mientras tenía la tele sin volumen todo el día encendida, tele sin volumen que, en aquel entonces, e igual que en el agroturismo, cumplía una función de paisaje, de ventanilla de tren por la que miras y no miras, ese entretenimiento por el que van pasando las horas del viaje hasta que inesperadamente llega a su fin. Esperaba que, de esta manera, este viaje también terminara. Pasaban los días y todo seguía en el mismo punto.

Se me ocurrió retomar una práctica que años atrás me había entretenido: hacerle fotos a la tele. En otra época lo hacía con intereses exclusivamente artísticos, pero ahora mis intenciones eran otras: fijar en papel todo lo que pudiera parecerse a esa cárcel, a esa ignominiosa situación, dar fe de mi historia allí a base de fotografías extraídas del único lugar en el que en aquellos días existía vida, la pantalla de la tele, con la intención de que si algo me pasase alguien pudiera encontrarlo. Comencé haciendo fotos a películas, reality shows, concursos, telediarios, informativos, dibujos animados, a todo, pero la historia de cómo habíamos llegado hasta allí y todo lo referente al viaje se apoderó de mí, y me encontré haciendo fotos con intenciones que se sumaban a la inicial: contar en la medida de lo posible mi vida a fin de reconquistarme, de reconstruir mi personalidad. Las descargaba directamente de la tarjeta de mi cámara al PC robado, y a veces las modificaba con trazos, dibujos, collages y cuantas fantasías que pensaba que debieran acompañar a la fidedigna reconstrucción de los hechos, las imprimía en la pequeña impresora, y después las ponía en el carro de la máquina de escribir para adjuntarles algún breve comentario.

Con los días terminé perdiendo el objetivo del plan y hacía lo que se me pasaba por la cabeza, formas lúdicas, sublimaciones de mi estado que me ayudaran a sobrevivir como si estuviera de vacaciones o en un largo fin de semana; en una infancia.

Hice muchas, más de 500, seguro. Como ejemplo, adjunto casi una por cada día:

éste es más o menos el aspecto de los corredores que dan acceso a las celdas
1er día

trabajando en esta misma foto-documento
éste es el aspecto d ela celda
3er día

teníamos un Proyecto
ahora subconjuntos
teorías en el techo
5ª día)

él

ella

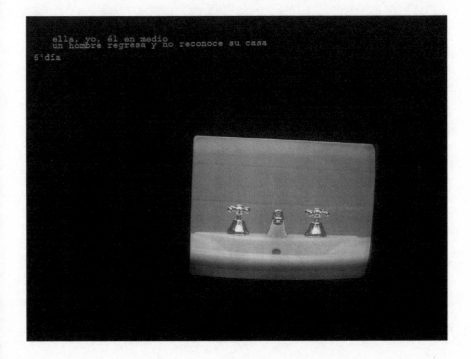

ella, yo, él en medio
un hombre regresa y no reconoce su casa
6ª día

cruzo un desierto
y su secreta desolación sin nombre,
el corazón tiene la sequedad, piedra,
de los que estalla en la noche
con su materia o su nada,

hay una luz remota, sin embargo,
sé que no estoy solo
(de J A Valente. Cito de memoria)

vista del patio desde la celda 13 día

ésta es la situación: un pájaro y un cazo de agua hirviendo están en una
jaula. si el pájaro se acerca demasiado, se muere. ésa es la situación.
.día 14, he bajado a buscar comida.me adelgazan los ojos.

día15

he llegado a intentar
imaginar cómo nos veía
el Proyecto desde el
maletero

Me di cuenta de que en esa última foto yo ya estaba adherido, colado, en ese otro mundo inverso. Y es que, claramente, mi vida estaba siendo televisada. Me pregunté cuántos televidentes me estarían viendo. Minutos más tarde me atormentó descubrirme pensando en tales disparates.

37

Una mañana, la número 20, me desperté. La tele, como siempre, encendida. Daban una reposición de la segunda época de *Luz de Luna*, así que me pasmé unos instantes, la cámara de fotos sobre la silla, el vaso de agua a su lado, la toalla ilustrada colgada en el lavabo, y por el rabillo del ojo vi que había un papel en el suelo, junto al hueco de la puerta. Al principio no reaccioné. Me quedé inmóvil, como sabiéndome blanco de una criatura hecha papel, colada en mi espacio. Debía de llevar ahí, en el suelo, horas. Me levanté despacio, con miedo a tan siquiera tocarla. La observé mucho tiempo entre mis pies descalzos. Al fin me agaché y la tomé entre mis manos:

Agustín (o quien coño sea usted),
he tirado al mar el contenido de la funda.
La funda la he enterrado en el camino de la playa.
Sigo trabajando en MI Proyecto.
Por mí puede usted hacer lo que le dé la gana.

Fdo: Agustín Fernández Mallo

Me senté en la cama. Releí aquellas palabras varias veces. Muchas veces. Dejé la nota sobre la rejilla de aireación del televisor. En una inconsciente simulación peripatética, comencé a dar vueltas por la habitación, pero al rato me vi de nuevo sacando fotos, poniéndoles comentarios a pie de página, rumiando sin dirección mientras no cesaban las canciones napolitanas en su estudio. Pienso que en cierto modo no quería asumir que con aquella nota todo se había acabado, que nuestro Proyecto, sencillamente, ya no existía, o sí, pero en el fondo del mar, y que con él, tampoco yo existía. Pocos minutos después, mientras intentaba hacer una foto más a la tele, apareció un fogonazo imprevisto que llenó todo el visor. Alcé la vista por encima de la cámara. La nota, fruto del calor que despedía la tele, era una llama que en unos segundos quedó reducida a carbón.

Entonces decidí que debía salir, tenía que comprobar la veracidad de aquella nota.

Sin linterna ni velas, esperé a una noche de luna llena.

38

Desencastré las teclas de la máquina de escribir del marco de la puerta, y descalzo bajé las escaleras. No había ruido alguno, pasé por delante de la recepción, salí al jardín, crucé las 3 puertas de espinos y tomé el arranque del camino de tierra que llevaba a la playa. Guiado por las torretas iluminadas de la isla que habíamos divisado el primer día, caminé 2 kilómetros, y en la última curva antes del inicio de las dunas de arroz, a mano derecha, vi un bulto rectangular en la tierra con signos de haber sido recientemente removido.

Comencé a escarbar compulsivamente con las manos y los pies, llagados de la caminata, y medio metro más abajo encontré la funda, la abrí, estaba vacía.

Podría habérmela llevado, pero de nada me servía ya. En un acto de intenciones auténticamente exorcizantes, de puro duelo, la volví a meter en su hueco, la tapé, después arranqué unas flores silvestres que había por allí, para darles solidez las anudé con retama flexible a un palo que encontré, y clavé el ramo en la cabecera de la tumba.

Quizá fuera ése el acto más inocente y extraño que había hecho en mi vida.

Entonces algo cambió.

39

Él se instaló definitivamente en su estudio; la música sonaba día y noche.

Al principio entraba únicamente en la cocina industrial a buscar pequeños utensilios que me faltaban para subir a mi celda, un abrelatas, cerillas y cosas así. Con los días no pude evitar empujar la puerta de su vivienda y sentarme en sus sillones a leer algún libro, a extenuar su biblioteca, a domarla en mi beneficio, y un día, mientras paladeaba una ginebra rescatada de lo profundo de su botellero, sentí que la marcha atrás era imposible. Entendí que debía cambiar de táctica —si es que hasta entonces había tenido alguna—: expulsar del agroturismo a Agustín y tomar yo las riendas. Si él era yo, si conocía todo mi pasado, si incluso lo tenía ya escrito en primera persona, entonces, en justa correspondencia, él era el cliente, el hospedado, incluso el intruso, y yo, sin pasado ya, tenía toda la legitimidad para reinventarme como el nuevo dueño de la hospedería.

De ahí a la toma total de la casa sólo hubo un paso tan fácil como abotonarse un último botón cuando llega el invierno.

Fue así como llegué a cerrarla por la noche con llave, a disfrutar de sus sábanas, a vestirme con su ropa, a emborracharme con sus licores, a jugar con Los 4 Fantásticos. Ahora que tenía una casa podría haber usado mi nuevo teléfono, podría haber llamado para pedir ayuda, pero comprendí que no tenía sentido alguno; ayuda para qué, si todo eso ya era mío, ayuda de qué si no había delito alguno que denunciar. Debería ser yo quien tuviera que mantener a Agustín, el intruso, alejado del teléfono.

Por las mañanas elegía entre un extenso vestuario, estaba chupado, sólo tenía que abrir los armarios y alargar el brazo. La magia realmente existe. Al anochecer me gustaba salir a un pequeño balcón en el primer piso a fumar el último Lucky vestido con un pijama de raso que encontré sin estrenar en un cajón. En esos momentos no podía dejar de poner gestos innovadores, autosuficientes, esquivos, distantes, como los de él, de hombre sólido que no desvía la vista ante contrariedad alguna; no podía evitar imaginarme a mí mismo a vista de pájaro, con el pelo sucio, repeinado al agua, detalles que añadían verosimilitud a la usurpación, e incluso la generaban. En esos momentos, mientras apuraba el cigarrillo, aprovechaba para calibrar el jardín que se extendía a mis pies, estático y extático en su calidad plastificada, más real que la realidad misma, hiperreal; lo que en ese momento yo mismo era. Incluso me imaginé, en breve, sentado en una de las antiguas torretas de vigilancia de la muralla principal. Antes de acostarme siempre abría el armario en el que él había guardado las bragas sucias, una bocanada de su perfume me excitaba, las miraba un rato, apiladas en columna, en dos torres idénticas.

40

Ahora que podía verlo desde arriba, desde el balcón de la parte trasera, de su estudio manaban haces o púas de luz por multitud de grietas y ranuras. Era asombrosa esa forma de estrella o erizo de mar dibujada en la noche. Imaginaba su mano derecha ante las teclas de un ordenador, sopesando el plagio, y me divertía pensar en su estudio como en un gran digestor de antigüedades y de nuestro Proyecto, ingredientes filosóficamente opuestos que inevitablemente acabarían con él. Incluso, cuando en las noches de viento de octubre o de mala digestión me levantaba al baño, allí estaban sus canciones napolitanas como un órgano más adherido a su estrella que, sabía, pronto se apagaría para convertirse finalmente en su agujero negro.

No tardaron en llegar las noches en que, estando yo en el primer piso, le oía entrar por la ventana de la pequeña cocina que estaba en la planta baja. Al día siguiente, al levantarme siempre echaba en falta comida de lata y encontraba restos de café con leche, de galletas, o en un plato el amarillo de un huevo frito. Yo, huyendo del paralelismo, surtía mi desayuno de sutilezas que iba encontrando en la despensa, pero siempre terminaba metiendo la manga del pijama de raso en la mermelada, o dejaba escapar por el mentón un hilillo de té, y pensaba que quizá hoy nos cruzaríamos en algún momento del día, y que su silueta sería cada vez más pastosa, y que entonces no encontraría inconveniente moral alguno a mi usurpación. Antes de levantarme de la mesa dejaba escapar algún eructo —que no importunaba a las moscas agrupadas en torno a la mantequilla, ni rizaba las motas de polvo atravesadas por el haz luminoso de la ventana, ni, todo hay que decirlo, provocaban en mí sensación alguna de pérdida—, y tras fregar la loza y cruzar con una equis el calendario de pared, redac-

taba en el libro de registro de la recepción el esquema por-
menorizado de las ventanas de las celdas que debía abrir, y
en qué secuencia, para mantener la hacienda ventilada. En
el carpetazo final a ese libro hallaba la rúbrica que daba
legitimidad a todo lo que acometiese a lo largo del día.

41

Entonces, con el crédito de haber accedido a una segunda
vida, y quizá como folclórico rito que trae recuerdos de la
primera, dieron inicio mis visitas a la tumba, lo que equivalía a decir al recuerdo del Proyecto. Solía salir al amanecer tomando el sendero que conducía directamente a la
playa, acompañado por la luz de la luna si la había y por
las luces titilantes de la isla que se veía en el horizonte. Iba
recogiendo lo que veía, variaciones de lilas y amarillos de
manzanillas que combinaba con intensos verdes; discre-
tos ramos que yo creía dignos epitafios, y que clavaba en
la tierra, a la cabecera de la tumba.

En un principio no ocurrió nada, pero a los pocos
días mi ramo había desaparecido y en su lugar había otro
también silvestre que yo me encargué de hacer desaparecer para clavar de nuevo otro. Esto ocurrió 3 o 4 veces.

Una mañana, yendo yo de regreso, nos cruzamos.
Por sus constantes paradas y flexiones supe que él también arrancaba lo que veía. Fue uno de esos encuentros
cargados de temor nervioso hasta que una vez pasado la-
mentas no haber exprimido del todo el azar de tus cartas.
Y es que por su constante forma de repeinarse, por sus
intermitentes miradas indirectas, supe que no las tenía
todas consigo, que me podía haber permitido algún lujo,
un insulto, una patada, un escupitajo en la cara. Ni nos
rozamos. Un pequeño ramo le temblaba en la mano.

A partir de entonces él comenzó a ir por las noches, a lo que yo contesté por las tardes, y él a su vez al amanecer, y así en una continua rotación que me hizo perder un poco el sentido de los días. Esta situación se prolongó por espacio de una semana con ramos cada vez menos vistosos, surtidos de malas hierbas. Concluyó el día en que dejamos sin flores el camino. Pensé en una lengua de muerte lamiendo el reposo de la tumba; me sentí mal. A mi último manojo de mirto y cardos él ya no contestó. O sí lo hizo, pero elevando de allí en adelante el volumen de la música en su estudio.

42

Comencé a ver cosas cambiadas de sitio en mi antigua celda, a la que ya sólo iba muy de tarde en tarde, y me dediqué a observar sus movimientos desde un prado cercano. En efecto, Agustín alguna noche se colaba allí y se instalaba entre mis cosas, quizá sobara la máquina, o el PC, puede que se riera de mis DIN-A4 mecanoescritos. Es posible que hasta se pusiera mi ropa, o lo que es peor, bebiera los posos de las latas de Coca-Cola que en mi encierro había ido acumulando hasta agotar las existencias de la despensa frigorífica. Con los días comprobé que el único cambio operado en la celda era que la silla de mi antiguo escritorio estaba orientada hacia la ventana que miraba al sur, donde se hallaba el mar. Y comencé yo también a frecuentarla. Esperaba a verle salir de la celda para entrar yo. Con el cojín aún caliente y aún con la forma de su culo, me sentaba y miraba, pero no veía nada salvo una extensión que se perdía, y el mar, con sus olas bajas y su isla del ejército. Un día dejé la silla descolocada, así que él supo que yo también la frecuentaba. Cambió de horario y yo cambié con él. Después vinieron las notas en el carro de la máquina. Notas incomprensibles que hablaban del Proyecto, frases al borde de lo ininteligible, con las que, claramente, pretendía volverme loco. Notas que, por no hacerle el juego, yo jamás toqué. Podían permanecer allí días como se renovaban dos veces en una tarde. A partir de entonces me encargué de que no entrara más ni en la celda ni en la casa apuntalando las ventanas con tablones de encofrado que encontré en el garaje. Finalmente reforcé las puertas. Sólo yo tenía las llaves.

43

Poco a poco comenzaron a llegarme señales de su inequívoca derrota: el volumen cada vez más alto, las toses que oía desde mi cama sin preocuparme su paso bajo mi ventana, el hedor en torno al estudio, los esqueletos bien apañados de conejos y pájaros asados en las inmediaciones de su puerta.

Pero pasaban los días y no se operaba cambio alguno. Entraba y salía de su estudio como si nada, como si aquello no fuera con él, como si supiera que ya era otro y que nada allí le pertenecía. Pero no se iba, y las inequívocas señales de su derrota no tardaron en convertirse en inequívocas señales de resistencia, lo que equivalía a decir de mi fracaso. Todo signo de cambio en mi beneficio era rápidamente reabsorbido por un invisible mecanismo que devolvía las cosas a su anterior estado. El agroturismo continuó sin recibir visita alguna, y cada vez se parecía más a una especie de animal, sin conciencia de destino, un destino que Agustín manejaba ya a su antojo.

En ocasiones, poco después de acostarme, oía ruidos en la planta baja, movimientos de tablas, de puntas desclavándose, incluso pasos en la cocina. Saltaba de la cama, corría escaleras abajo y nada había. Entonces me quedaba toda la noche haciendo guardia, atento a los ruidos de dentro y de fuera de la casa, que recorría de arriba abajo ya muchas veces hasta el amanecer. Esto me obligaba a dormir durante el día, con un ojo medio abierto, muy atento a unos pasos y respiraciones que nunca llegaban. Las pocas veces que conseguía conciliar el sueño tenía pesadillas, me despertaba sobrecogido y oía, ahora sí, los inconfundibles golpes de martillo de Agustín sobre las tablas de alguna ventana, y entonces bajaba corriendo, abría de un portazo, pero de nuevo allí nadie estaba. Solamente, a veces, detectaba su cuerpo a lo lejos tumbado al sol entre matorrales como un lagarto, fuera de su estudio, tan extraño a todo lo que le rodeaba como un maniquí que saliera de su escaparate y se sentara en la acera a ver los coches pasar.

44

Creo que ahora sí que puedo emplearla sin miedo a malgastarla: «Lo recordaré siempre porque fue simple y sin circunstancias inútiles».

Ocurrió un amanecer.

Desayuné en la cocina después de una noche de guardia consumida en idas y venidas a la caza de ruidos. Recogía la mesa cuando, con la cafetera aún en alto, y sin detenerme siquiera a meditar dos veces la idea, me dije que la solución era fácil, estaba al alcance de la mano; en realidad, siempre había estado ahí, sólo había que alargar el brazo.

Fue así como aquella mañana llegué a abrir la puerta del estudio de Agustín. El decibélico volumen de la música hizo que no se enterara. Tampoco se enteró de mis pasos sobre su espalda, un bulto maloliente que trabajaba sobre el teclado de un portátil, ni de que yo me detuve unos segundos, como prolongando el anticipo de un coronamiento. En torno a su silla, por el suelo, se hallaban desperdigadas todas las cosas referentes al Proyecto, aquellas que supuestamente él había tirado al mar. No lamenté el conjunto de libros inservibles, cachivaches, montones de basura y heces que estaba a punto de heredar. Puse la mano sobre su hombro y apreté. Apreté con más fuerza e hice rotar la silla. Sólo cuando nuestros ojos se encontraron pareció reparar en mí. Le hundí el cuchillo en el pecho y me salpicó un primer borbotón. No me detuve hasta que se me hizo insoportable la calidez de su sangre en mi pijama. Arrojé el cuerpo al suelo. Salpicó en abundancia. Lo arrastré por los pies hasta la puerta, sus greñas de fregona dejaron un surco rojo. Tiré aún más para bajar las escaleras, el cráneo botó en cada escalón, pensé en un balón deshinchado. Tiré su cuerpo entre unos juncos que crecían fuera, pegados a la tapia lateral del huerto.

Regresé a la casa. El estado de nerviosismo no tardó en convertirse en tranquilidad, una extraña felicidad ausente de euforia. Por primera vez había cometido un acto primitivo, un acto no publicitario. Por una vez me había dejado llevar por el fascismo de lo natural. En ese momento sentí que en el mundo de la publicidad se abría una grieta que dejaba entrar a la muerte, y me sentí bien. Tomé entre mis manos una última Coca-Cola de 2 litros que encontré en la despensa, tras unas latas de judías caducadas, le exprimí 3 limones. Me senté en el sillón de cuero de Agustín, y directamente de la botella, agarrándola con la dos manos, paladeé muy lentamente aquella bebida que, como ahora yo, no se parecía a nadie ni a nada conocido, salvo a sí mismo.

Parte 3

MOTOR
(Fragmentos encontrados)

Voy mucho a la playa.
Hoy he recordado una película llamada *The
Warriors,* en la que tras una noche de
escaramuzas en una Nueva York industrial y
vacía, todas las bandas llegan a la playa de
Coney Island. Allí unas simples olas de no
más de un palmo les indican a los guerreros
que la muerte no tiene trascendencia alguna.
Voy mucho a la playa. La arena tiene forma
de granos de arroz. Enfrente veo una pequeña
isla que tiene unas torretas. Por la noche
se encienden. Por el día también. He pasado
al lado del cadáver de Agustín. Se movía,
pero no por sí mismo, sino por agentes
motrices externos, quizá el viento.

La fascinación que las playas ejercen sobre
los hombres atraviesa directamente un
Tiempo que tiene forma de cubo de Rubik.
Parece ser que todas las batallas
trascendentes se libraron en una playa. No
por la playa en sí, sino porque la costa
es un límite, el último límite antes de
emprender un naufragio.

La pequeña cocina de la casa de Agustín es
muy acogedora. Caliento agua en un cazo que
tiene flores dibujadas. En la ebullición, la
piel del agua se convierte en otra
geografía, un mapa que va mudando.

Hay que imaginar la sensación de viaje al
centro de la Tierra que experimentó la
primera persona que pagó con tarjeta de
crédito.
Todo ese mar detrás de las neveras.

Lo que se nos aparece de repente, como por
ejemplo una imagen, un recuerdo o una
persona de carne y hueso, no es que antes
no estuviera ahí, es que estaba apagado:
en alguna parte del mundo un interruptor
estaba en posición OFF. Ese interruptor es
a veces un simple parpadeo; en otras
ocasiones, un complejo proceso que mueve
montañas de basura. He visto que las luces
de las torretas de la isla que hay enfrente
parpadean. Signo inequívoco de que los
militares esperan un ataque de algo o de
alguien.

Hoy he pensado que hay dos tipos de
objetos. Aquellos que están condenados a
perder su contenido, por ejemplo, una lata
de Coca-Cola, y aquellos otros en los que
una pérdida de esa clase supone un
accidente, por ejemplo, el disco duro de
un ordenador. En los primeros sus códigos
de barras tienden a estar tristes. En los
segundos, depende del temperamento
intrínseco al sistema. Creo que todo este
edificio ha perdido su contenido. El
cadáver de Agustín, no sé. Miré bien su
boca. Concluí que los dientes son su código
de barras.

Hoy, mientras estaba en el estudio
escuchando a todo volumen un CD de viejas
canciones napolitanas, he decidido recordar
qué tengo en los cajones inferiores de mi
biblioteca. En uno hallé una colección
escasa pero selecta de LP. No recordaba
haberla reunido jamás. Muchos discos
estaban perfectamente partidos por la
mitad, y a cada uno le había pegado la
mitad de otro. Es decir, que a cada giro
de 180° esos discos se transformaban en
otro totalmente distinto. Como si cambiaran
de personalidad. Lo pude comprobar porque
había allí mismo un tocadiscos, que tampoco
recordaba haber comprado. El primer disco
que tomé al azar, mitad Adriano Celentano,
mitad el álbum blanco de los Beatles, me

produjo una sensación muy discreta. El
mitad Bony M y mitad Discursos Integrales
del Duce me impactó.
Otros eran la unión de 4 discos, 4 partes
perfectamente simétricas. El efecto final
era mucho más interesante, a cada giro de
90° se inauguraba algo nuevo; y en las
décimas de segundo transcurridas en las
transiciones entre dos fragmentos
cualesquiera se extendía un paisaje de
microrruidos sin dejar totalmente de ser
música. Otros discos eran la reunión de 8
trozos, tipo pizza. Y así hasta que en un
LP no pude distinguir ya los cortes que
tenía, podría ser la unión de más de 100
discos. Ése lo puse muchas veces, una y
otra vez. Parecía un ruido pero no era
ruidoso. Vagamente me recordó al sonido que
emiten los casinos cuando están cerrados,
detenidos, pero un casino jamás se detiene.

En esta costa, no muy lejos, hay un edificio
supuestamente fascista, todos los isleños
lo conocemos. Un fallido parque temático, el
último que levantó Walt Disney antes de morir, diseñado personalmente en colaboración
con Salvador Dalí. Fue quemado por las Bri-
gadas Rojas al año siguiente de su inaugu-
ración. Espero que mi agroturismo no corra
la misma suerte.

El cadáver de un tipo: lo que más extrañó
a los investigadores
        fue hallar una Barbie en miniatura
en su estómago que llevaba un
        vestido de Jackie Kennedy. Por lo
demás, desvió la investigación el hecho de
que los dientes del fallecido fueran
rectangulares y de leche. Lo ha dicho un
documental en la tele.

A veces, sentado en la playa de arroz, sopla
el viento y unos folios se me van de las manos. De las manos al mar. Hablan de un tipo
que viajó a Cerdeña con una mujer. Los veo
volar, estamparse contra una pequeña ola y
pienso: «Déjalos ir, sólo son la 1/10 parte
de un árbol enano, escuálido y para colmo
sin raza».

La Coca-Cola que abrí ayer tiene ya un
dulzor adhesivo.

Hoy me asomé a la ventana que da al jardín;
había luz artificial.
Constaté que un enchufe es más rápido que
una palabra.

Hoy he notado algo extraño en el patio
interior de la entrada. En la tierra hay
un bulto. Quiero decir que la tierra
estaba abultada. La protuberancia es
bastante grande, de unos 2 metros de largo
y 1 palmo de altura. Como la tierra es de
plástico, no se abre, sólo se tensa. Le
han aparecido unas minúsculas grietas,
como cuando presionas hacia atrás el brazo
de un muñeco de goma de Los 4 Fantásticos,
que no se rompe, pero cambia en esa zona
de color.

Hay cosas que no tienen piel, por ejemplo, la
                    pastilla de jabón:
        se va gastando y
            enseña siempre
                    su interior. Pero
                    no es lo normal.
En el lavabo he encontrado casi cien
pastillas de jabón sin usar, apiladas con
la forma de esta construcción que fue
agroturismo, antes cárcel, antes
monasterio, y antes quizá sólo una idea,
un proyecto.

Encontré esto entre las notas de Agustín:
"podemos suponer que el día

en que las operaciones de cirugía estética
superen en número
a las de apendicitis,
el planeta Tierra ascenderá
a objeto fashion en sí mismo.
En Las Vegas hay techos que tienen
miles de cámaras de videovigilancia,
pero son falsas, no vigilan nada."

(Los matorrales y el Tiempo están haciendo
con su cadáver una cirugía muy curiosa.)

El bulto que hay en el suelo del jardín
interior de la entrada se ha estabilizado,
pero han aparecido otros dos de
características similares en más puntos
del jardín. Esta noche salí a tomar el
aire, me senté en la silla que hay junto a
la antigua recepción. Superpuesto al sonido
del mar oí una sucesión de crujidos que,
al levantarme, me llevaron hasta esos
bultos. Pero no vi nada inusual. Por otra
parte, he visto un pequeño cuarto al lado
del jardín, una puerta en la que no había
reparado, allí encontré tijeras de podar,
rastrillos, carretilla, abono, etc., muchos
utensilios con los que mantener a raya un
jardín, no lo entendí bien ya que éste es
de plástico.

Hago páginas web a mano. Papel,
tijeras y pegamento en barra.
Después las trituro y con los
restos vuelvo a empezar.

Ahora hago páginas web en tres dimensiones,
también a mano. Cojo objetos que encuentro
en la sala y los amontono de cualquier
manera junto a la chimenea. Cuando la
cantidad me convence, doy una patada al
conjunto, que arde en la chimenea. Mientras
contemplo las llamas no he visto ni una
sola vez emerger a mis ojos una lágrima.

Los bultos del jardín de la entrada ya no
son bultos, han roto el plástico que simula
césped y el plástico que simula tierra. Ha
aparecido una especie de raíces
filamentosas, blancas como gelatina.
Teniendo en cuenta que los árboles y
arbustos del jardín son de plástico, no sé
de qué árbol pueden ser esas raíces que
han roto el suelo. El árbol biológico más
cercano está a 1 km más o menos en
dirección al interior.

Hay que hacer esto: subirse a las torres de
vigilancia del muro principal. Desde allí,
con cuidado de no resbalar llegar a
horcajadas hasta el arco principal. Extraer
alicates, destornillador y martillo del
bolsillo trasero del pantalón. Desclavar el
letrero que dice, Sing-Sing, Agroturismo.
Darse cuenta de que se desprende con sólo
darle un golpe. Lanzarlo con fuerza,
aplicando un movimiento horizontal. Rebota
en el suelo varias veces, como las piedras
en los estanques, hasta que un mal
movimiento lo eleva y, vertical, se clava en
la tierra, blanda y seca. Cimbrea unos
segundos antes de detenerse.
Vengo de hacerlo. Ocurrió así exactamente.

"Residuo": del latín "re-sedeo": lo que no
deja avanzar, lo que detiene cierta maquinaria
intrínseca a la vida. He pensado si Agustín
es o no un residuo.

En el patio trasero el fuerte viento ha
tirado las bombillas de feria que lo
iluminaban.
En mi estudio hay una línea ancha en el
suelo, de color rojo sangre, que se dibuja
sobre la madera como una suerte de
caligrafía china que no entiendo, como
hecha con una fregona.

Hoy he pensado en mi cabeza como quien
piensa en un cubo de fregar vacío.

Estoy en una celda, tiene signos de haber
estado habitada hasta hace poco tiempo.
He encendido la tele, la cara de una mujer
ocupa la pantalla, dice que si Manhattan
tuviera la
misma densidad de población que Cerdeña,
sólo
tendría 25 habitantes.
Veo que parpadean las luces de las torretas
de la isla cercana.
Escribo "Delete".

He hecho un descubrimiento: la tele de la
sala de estar de Agustín funciona. He hecho
un segundo descubrimiento: no capta ningún
canal. He hecho un tercer descubrimiento: se
apoya en un reproductor de vídeo VHS. He
hecho un cuarto descubrimiento: en esta casa
no hay vídeos que reproducir.
Mi cabeza: de nuevo un cubo de fregar vacío.

Hoy he tenido un pensamiento luminoso: si
una máquina pariera, el bebé no

tendría cordón
umbilical. Pero
todo cordón
umbilical termina en una
lata de Coca-Cola vacía. Eso es.

Hoy he visto que el árbol más cercano no
está a 1 km en dirección al interior, sino
a 3 km en dirección a la costa.
Las raíces del jardín siguen creciendo,
más en horizontal que en vertical, pero,
lógicamente, en los dos sentidos. Nunca se
me había ocurrido olerlas. Hoy pegué la
nariz, el olor era desagradable, mucho,
pero no lo pude asociar a nada que
conociera; quizá, lejanamente, a plástico
quemado, pero también a zapato usado.

Experimento: alguien se sienta en una de
las almenas del muro de la entrada, una
especie de nido de ametralladoras. La
franja horizontal practicada en la pared
circular de la almena sólo deja ver sus
ojos.
A él le permite ver el horizonte entero.
Yo soy el que está en la almena. El cadáver
de Agustín, el que está fuera.

La mayoría de las personas vivimos toda
la vida basándonos en el esplendor de un
solo día; los días que vienen después
son los extrarradios fashion, la
propagación edulcorada de aquella
jornada. Ya sé cuál fue la jornada de
esplendor de Agustín. Me da miedo
escribirla, incluso pensarla.

El Resplandor: todo objeto, si te fijas
bien, es un animal que
en silencio se ríe de nosotros. La versión
más ascética de ese silencio es su código
de barras, que es el ingrediente que la
alquimia buscaba en los objetos. Eso he
pensado hoy cuando encontré una pequeña
braga sucia de mujer metida entre dos
páginas de un grueso libro de la biblioteca
de Agustín.
Los días pasan como segundos. Pero cada
segundo dura mucho tiempo.

Estoy solo en la celda que tiene tele.
Llueve un poco. La tele chispea, en la
pantalla un arquitecto que dice llamarse
Rem Koolhaas afirma haber visto desde una
avioneta un gigantesco y humeante vertedero
en Nigeria, y dice: "El vertedero es la

forma más baja de organización espacial.
Pura acumulación, es informe, su
localización y perímetros son inciertos,
es fundamentalmente imprevisible".
Totalmente de acuerdo.
¿Qué ocurre cuando ese vertedero es un
cuerpo? (pensar más tarde en esto)

Las raíces del jardín del patio principal
ya alcanzan el medio metro. Me he
preguntado si de verdad son raíces y no
las estribaciones de una criatura que bajo
tierra está mudando la piel. Cada vez que
veo una piel, fruto de una muda, pienso en
unas bragas sucias, también pienso en el
cadáver de Agustín. Hace por lo menos una
semana que no voy
a verlo.

He pensado que la población mundial lee
mucho más de lo que reflejan las
estadísticas: los textos de los envases de
los productos manufacturados.
Por eso he pensado en los contenedores de
basura como en verdaderas bibliotecas. Hoy
he pasado junto al cadáver de Agustín.
Decididamente, el tiempo está haciendo en
él una cirugía curiosa, el tiempo es un
artista que experimenta siempre sin
fracaso.

Se ha estropeado el aparato de TV de
la celda. No es que no vea nada, sino
que se mezclan en uno todos los
programas, se superponen en la pantalla.
De repente he imaginado la siguiente
prueba como método de comprobación de la
confianza que puedo tener en un
televisor. Se trata de colocar varios
televisores en posición horizontal, con
la pantalla cara arriba, mirando hacia
el cielo, y encendidos todos en el mismo
canal para que emitan la misma cantidad
de luz y calor. Cascar unos huevos y
echar uno sobre cada una de las
pantallas, como si fueran sartenes.
Poner en marcha un cronómetro y medir el
tiempo que tarda cada pantalla de
televisor en freír su huevo.
El mar va ganándole terreno a la playa.
Hoy he decidido recordar los libros que
tengo en la biblioteca. Fui abriendo uno
por uno. En seis horas sólo alcancé a
revisar la décima parte.

No se duerme bien aquí. El mar, a lo
lejos, ruge con especial intensidad. Me
levanto. Vacío el culo de la botella de
tinto que ha quedado de la cena, observo
Los 4 Fantásticos de goma tóxica sobre

la chimenea, estáticos, me pregunto cómo
es posible que haya cosas en el mundo
que nunca cambien de posición.

He hecho un quinto descubrimiento: en
esta casa sí que hay cintas de vídeo.
Las encontré escondidas tras un lote de
bragas usadas que Agustín guardaba en su
armario; no paro de encontrarme bragas
usadas. Nada más meter la primera cinta
en el reproductor he visto algo raro:
son grabaciones en las que salimos una
mujer y yo. Bueno, no soy exactamente
yo, es un tipo que se parece mucho a mí.
Parece que viven en una celda de este
agroturismo. Lo extraño es que están
grabadas desde el suelo, como si lo que
separase esa celda de la del piso
inmediatamente inferior fuera de un
material transparente. No hay sonido.
Grabaciones nocturnas y diurnas.
Hablando, escribiendo, duchándose.
Durmiendo no, porque la cama se
interpone entre la cámara y los cuerpos,
así que tampoco se sabe si en esa cama
tuvieron relaciones sexuales. Algo
igualmente extraño es que la cámara se
mueve cuando ellos se mueven, como
pegada a sus pies. No hay sonido.

Voy a la línea de costa. Miro un buen rato
las torretas de la isla cercana, que
siempre tiene unas luces encendidas. Me
tumbo boca abajo con los bazos en cruz,
como queriendo abrazar la totalidad de
granos de cuarzo. En esa posición, escarbo
con la cabeza el suelo de arroz, intento
comprobar si también es transparente el
suelo de ese trozo de tierra. Si también
alguien me está grabando desde un lugar
más abajo.

Las raíces del jardín me llegan a la
altura del pecho. Desde aquellos 3
primeros bultos el número ha ido
creciendo, ahora tengo incluso que
esquivar lo que cada uno ha engendrado.
Camino entre esa nueva naturaleza que ha
reventado el suelo de plástico. Los bultos
también han empezado a manifestarse fuera
de la construcción, y las raíces suben por
los muros. Creo que en ese ascenso han
elevado también el cadáver de Agustín, que
yacía entre unos matorrales. Lo vi el otro
día de lejos, me acerqué, las raíces, en
su ascenso, han terminado por destrozar la
perfecta cirugía que el Tiempo estaba
operando en su cuerpo. O la están
perfeccionando. No sé.

Creo que esto es así: el motivo por el
que a los humanos nos atrae sentarnos
cada día en torno a una mesa y comer es
porque la materia prima, cuando la
compramos en el mercado, la recibimos
muerta. Cocinarla, servirla y paladearla
equivale a resucitarla en el plato. Hay
ahí una conciencia de tiempo marcada por
una muerte y una resurrección.
Yo como solo. Sé que estoy vivo porque
me huelen las axilas. También sé que
estoy vivo por comparación: veo cada día
el cadáver de Agustín, que claramente es
la muerte. Pero todo eso no impide que
cuando me siento a la mesa el plato de
comida me parezca una circunferencia más
viva que yo.

Revisando los papeles que dejó escritos
Agustín, papeles que hablan de un viaje
a Cerdeña con una mujer y de un colosal
Proyecto, he hecho un sexto hallazgo,
más bien una deducción: Agustín
Fernández Mallo nunca ha existido, sin
embargo muchos le han rendido culto.
Puede que incluso bajo el pseudónimo
Agustín Fernández Mallo se esconda un
colectivo de autores frustrados, o puede
que grandes obras de la literatura sean
confeccionadas para, sencillamente,
homenajearlo. Pero ¿homenajear a quién?
¿A una persona en concreto? ¿A ese
colectivo secreto? ¿O ni a una cosa ni a
otra sino a un arquetipo universal, del

cual Agustín Fernández Mallo es un
ficticio representante? He llegado
a saber que muchos famosos libros son
meras piezas confeccionadas "a la manera
de" Agustín. En mi biblioteca hallé
bastantes, pongo ejemplos:

Esto:

He contado mi historia en la televisión
y a través de un programa de radio.
Además, se la he contado a mis amigos.
Se la conté a una anciana viuda que
tiene un voluminoso álbum de fotografías
y que me invitó a su casa. Algunas
personas me dicen que ésta es una
invención fantástica. Yo les pregunto:
entonces, ¿qué hice durante mis diez
días en el mar?
Es un Agustín Fernández Mallo visto por
Gabriel García Márquez (Relato de un
náufrago, 1970).

Esto:

15 de octubre de 1914.
Noche tranquila. Ahora me masturbo
aproximadamente una vez cada semana y
media. Trabajo poco con las manos, pero
por eso tanto más con el espíritu; me
acuesto a las 9 de la noche y me levanto
a las 6 de la mañana. Con el actual
comandante no hablo prácticamente nunca.
Es un Agustín Fernández Mallo visto por
Ludwig Wittgenstein (Diarios secretos).

Esto:

La soledad no se encuentra, se hace. La
soledad se hace sola. Yo la hice. Porque
decidí que era allí donde debía estar
sola, donde estaría sola para escribir
libros. Sucedió así. Estaba sola en
casa. Me encerré en ella.
Es un Agustín Fernández Mallo visto por
Marguerite Duras (Escribir, 1993).

Esto:

Estaba tendido en la arena con la
oxidada rueda de bicicleta. De vez en
cuando cubría algunos rayos con la arena
para neutralizar la geometría radial. La
llanta le llamaba la atención. La
cabina, oculta detrás de la duna, ya no
parecía parte de su mundo. El cielo
permanecía inmutable, el aire tibio
tocaba los jirones de hojas de test que
afloraban en la arena. Continuó
examinando la rueda. Nada ocurrió.
Es un Agustín Fernández Mallo visto por
J. G. Ballard (La exhibición de
atrocidades, 1969).

Esto:

Ahora, por tanto, estoy en la casa, la
cual me plantea interrogantes que no oso
esperar resolver. Ya he hablado de la
singularidad del material con que está
hecha, y que sin duda alguna no proviene
de lo que veo en la ciénaga. Eso es lo
que veo, pero nada sé de lo se halla
bajo la superficie de la ciénaga; sin

duda hay allí ríos subterráneos, lagos,
acaso montañas, acaso minas, acaso
bosques. Esta casa, creo yo, no ha sido
construida; para construirla hubieran
hecho falta hombres, tiempos no breves,
depósitos de materiales: todo ello es
incompatible con la ciénaga.
Es un Agustín Fernández Mallo visto por
Giorgio Manganelli (La ciénaga
definitiva, 1991).

La lista de textos filiables que he
detectado es muy larga. Aquí me detengo.

Hoy, paseando por el bosque de raíces
del jardín —que me llegan ya casi al
rostro—, he entendido algo que considero
importante: estas raíces son las de un
árbol que sólo puede encontrarse en la
otra parte del mundo, no sé si en las
antípodas, pero sí en un lugar muy
lejano. Sin duda sus raíces han
atravesado la Tierra para emerger en
este jardín.
El mar cada día ruge con más fuerza. No
puedo pegar ojo.

Las raíces devoran lo que encuentran a su
paso, han atravesado también el suelo de
la casa, suben por las paredes, rompen

los muebles, han llegado hasta las
celdas de más arriba, se cuelan por los
agujeros de las rejillas metálicas que
conforman los pasillos, están creando
una masa sólida, de momento el conjunto
no tiene forma definida, no puedo
utilizar lo que queda de cocina porque
tengo miedo a que la llama del gas
prenda en las raíces y provoque un
incendio de grandes dimensiones, el otro
día, ayudado de un machete que pillé en
el cuarto de herramientas de jardín,
practiqué un agujero esférico en las
raíces que habían tomado la cocina, al
menos puedo ya comer en una mesa y hacer
fuego, ahora las paredes de esa cocina
son redondas, como una burbuja de
madera, he tenido tiempo para practicar
otro espacio, también redondo, en la
sala, no muy grande pero decente, he
visto de nuevo los vídeos filmados desde
abajo, salgo yo todo el rato en una de
las celdas, bueno, alguien que se parece
a mí pero que no soy yo, con la mujer
joven, está bastante buena, pero no
podría precisar cuán buena está ya que
desde esa perspectiva no se la ve bien,
lleva un bikini, lo sé porque cuando se
agacha para coger algo del suelo se lo
veo, tiene dos margaritas estampadas en
cada pecho, a veces acerca tanto la cara
al suelo que parece que las margaritas
vayan a romper el objetivo de la cámara,
las plantas de sus pies son curiosas,
casi no tienen líneas, o puede que sea
un efecto del aplastamiento al pisar,
ahora estoy practicando otro agujero
para poder salir de la casa, porque en

estos últimos días, dedicado a hacer los
otros agujeros, las raíces han comido el
espacio de la entrada y no puedo salir,
en los vídeos también salgo yo, solo,
bueno, alguien que se parece a mí pero
que no soy yo, pasea de un lado a otro
mientras la mujer duerme sentada en un
sillón, es de noche, las lámparas están
encendidas, en otra de las cintas no hay
nadie en la celda, así durante horas,
una completa nada, hasta que entra
Agustín, siempre maloliente, pareciera
que puedo olerlo a través de la
pantalla, con sus greñas de Kusturica
devaluado, no sé bien qué hace, no hace
nada, se sienta en una silla y mira a
través de la ventana, un rectángulo, una
ventana, esto se repite durante toda la
cinta y durante varios días, me he
fijado en que la fecha de grabación es
de dentro de 5 años, sale en la parte
inferior de la pantalla, sin duda un
error en el ajuste horario de la
videocámara, pero él está más viejo, y
eso me desconcierta, en ese vídeo las
raíces aún existen, se ven perfectamente
a través de la ventana de la celda,
parece que Agustín ha tenido la misma
idea que yo y las ha retirado a
machetazos para tener vistas, también
veo que ha excavado la celda, cuyas
paredes son de raíces, se ve
perfectamente esa masa oscura y fibrosa
de la madera en las esquinas de la
pantalla, este vídeo está vacío (porque
todo vídeo futuro es necesariamente un
vídeo vacío, de eso no me cabe duda).

El otro día me acerqué a la playa. Hacía sol.

Al llegar vi a lo lejos, donde termina la arena, un bulto negro, un objeto, varado.

Era una pequeña Zodiac.

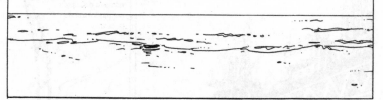

Miré el horizonte, vi la isla lejana. Sus torretas, sus luces encendidas a pesar de ser de día.

A medida que me aproximaba a la isla, más gruesas eran las olas.

Arranqué el motor al tercer intento.

No tardé en darme cuenta de que aquello que se veía no era una isla, sino una plataforma petrolífera.

Inopinadamente, el extremo de una escalera de cuerda me pasó rozando la cara.

Alguien me la había tirado desde arriba. Allí, con un gesto de brazo, ese alguien me indicó que subiera.

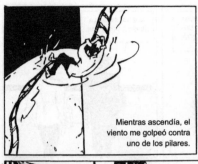

Un hombre me dio la mano para terminar de subir.

Mientras ascendía, el viento me golpeó contra uno de los pilares.

HOLA.

HOLA.

¿SE ENCUENTRA BIEN?

UN POCO ATURDIDO POR LOS GOLPES CONTRA EL PILAR.

BIENVENIDO, MI NOMBRE ES ENRIQUE VILA-MATAS, ¿EL SUYO?

NO LO SÉ.

BUENO, VENGA, LE VENDRÁ BIEN UN CAFÉ CALIENTE CON LICOR.

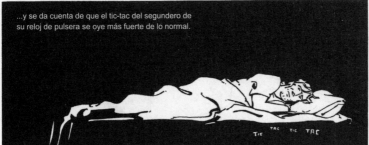

...y se da cuenta de que el tic-tac del segundero de
su reloj de pulsera se oye más fuerte de lo normal.

Cuando al día siguiente se despierta, el sonido del reloj es el normal.

La noche siguiente, las pulsaciones del segundero aún se oyen más fuertes que la noche anterior.

Por la mañana, el tic-tac vuelve a ser normal.

Y así durante muchas noches; el sonido del tic-tac cada vez es más fuerte, alcanza decibelios muy molestos.

Se pregunta cuándo finalizará esa tortura, cuándo el reloj regresará a su estado natural.

Decide tirar el reloj a la basura.

MUY LEJOS DE DONDE VIVE ESE HOMBRE...

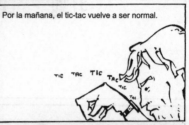

En una región desértica, hay una cárcel. Consiste en celdas amplias, de 20x20 metros, estrictamente cuadradas, hechas con paredes de grueso hormigón que miden otros 20 metros de altura.

La peculiaridad es que no tienen tejado, están a cielo abierto.

Por cada celda hay un preso, y están diseminadas en un llano, separadas unos 50 metros unas de otras.

Dentro de la celda, el preso que nos interesa no tiene nada.

Duerme en el suelo, hace sus necesidades en la tierra.

La comida se la lanzan por encima del muro.

Como su cadena es perpetua, se decidió que no tenía sentido hacer una puerta: las celdas se construyen con los presos dentro.

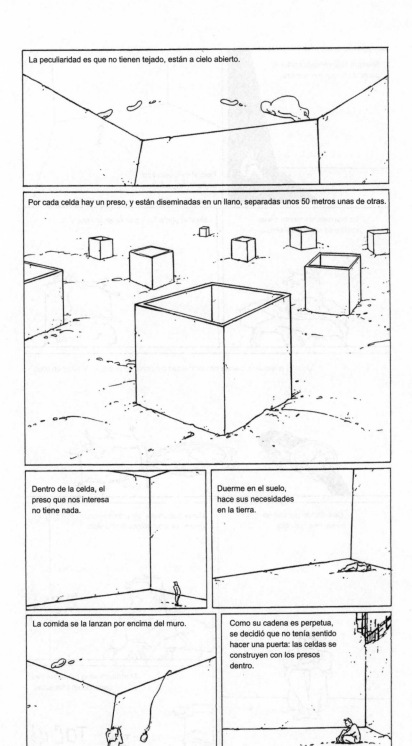

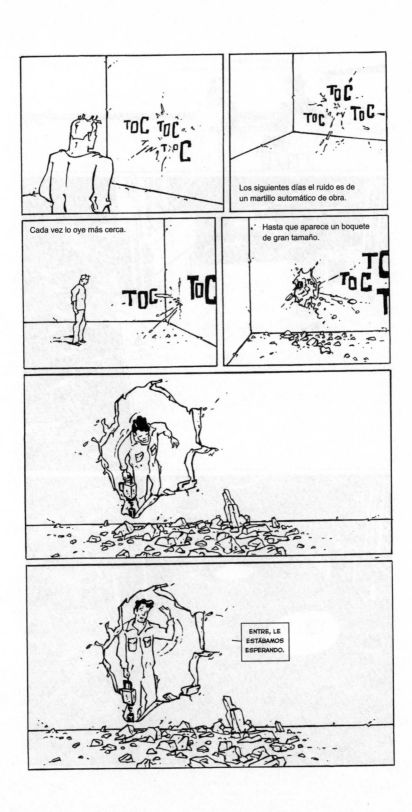

ACLARACIONES Y CRÉDITOS

Nocilla Lab, escrito a lo largo del verano de 2005, constituye la tercera entrega de la trilogía Proyecto Nocilla, de la que *Nocilla Dream* y *Nocilla Experience* son las dos primeras.

Entre el año 2006 y el 2009 he ido elaborando en vídeo una poética filmada del Proyecto Nocilla, que puede ser descargada en el blog *El hombre que salió de la tarta.*

AGRADECIMIENTOS

En estos años de desarrollo del proyecto he recibido muchos más apoyos de los que podrían ser consignados en esta página. A todos mi más sincero agradecimiento. Considero estos libros tan míos como suyos.

Gracias a las editoriales que han creído en mí, y al Grupo Nutrexpa por permitirme usar la palabra Nocilla con propósitos creativos. También gracias a la comprensión de los autores de cuyos textos me he valido para componer estos libros; sin ella nunca podrían haber llegado al público.

Y a Pere Joan por su contribución en cómic y por el entusiasmo con el que acogió la idea.

DEDICATORIA

A Aina Lorente Solivellas

NOCILLA
EXPERIENCE
Agustín Fernández Mallo

«El mundo se rige por el azar de un parchís,
no por las mecánicas leyes del ajedrez.»

Harold acaba su última caja de cereales, deja conectada su primitiva
videoconsola y decide recorrer Norteamérica durante un lustro. Un tipo que
maneja las grúas del puerto de Nueva York diseña una casa para suicidas. En
Basora, un marine se enamora de una irakí en el instante en que la encañona.
Un tal Julio da forma a una *Rayuela* alternativa. Sandra vuela de Londres a
Palma de Mallorca al tiempo que se resuelve el misterio del incendio de la
Torre Windsor. El capitán Willard sigue esperando en Saigón aquella misión:
nunca imaginó lo especial que sería. Hay gente que utiliza los oleoductos vacíos
subterráneos de la antigua Unión Soviética para cruzar las fronteras. Un cocinero
proyecta cocinar el horizonte.

Nocilla Experience es un caleidoscopio ficcional, donde cabe todo menos el
sopor, incluso las enseñanzas de un código samurái, sin olvidar las andanzas
de un elenco de protagonistas con rarezas de primera magnitud que no son
más que la expresión de su radical soledad. Un libro con muchos ecos: de la
literatura de Perèc al cine de Jim Jarmusch o Francis Ford Coppola.

Alfaguara es un sello editorial del Grupo Santillana

www.alfaguara.com

Argentina
Av. Leandro N. Alem, 720
C 1001 AAP Buenos Aires
Tel. (54 114) 119 50 00
Fax (54 114) 912 74 40

Bolivia
Avda. Arce, 2333
La Paz
Tel. (591 2) 44 11 22
Fax (591 2) 44 22 08

Chile
Dr. Aníbal Ariztía, 1444
Providencia
Santiago de Chile
Tel. (56 2) 384 30 00
Fax (56 2) 384 30 60

Colombia
Calle 80, 10-23
Bogotá
Tel. (57 1) 635 12 00
Fax (57 1) 236 93 82

Costa Rica
La Uruca
Del Edificio de Aviación Civil 200 m al Oeste
San José de Costa Rica
Tel. (506) 22 20 42 42 y 25 20 05 05
Fax (506) 22 20 13 20

Ecuador
Avda. Eloy Alfaro, 33-3470 y Avda. 6 de
Diciembre
Quito
Tel. (593 2) 244 66 56 y 244 21 54
Fax (593 2) 244 87 91

El Salvador
Siemens, 51
Zona Industrial Santa Elena
Antiguo Cuscatlan - La Libertad
Tel. (503) 2 505 89 y 2 289 89 20
Fax (503) 2 278 60 66

España
Torrelaguna, 60
28043 Madrid
Tel. (34 91) 744 90 60
Fax (34 91) 744 92 24

Estados Unidos
2023 N.W. 84th Avenue
Doral, F.L. 33122
Tel. (1 305) 591 95 22 y 591 22 32
Fax (1 305) 591 74 73

Guatemala
7ª Avda. 11-11
Zona 9
Guatemala C.A.
Tel. (502) 24 29 43 00
Fax (502) 24 29 43 43

Honduras
Colonia Tepeyac Contigua a Banco Cuscatlan
Boulevard Juan Pablo, frente al Templo
Adventista 7º Día, Casa 1626
Tegucigalpa
Tel. (504) 239 98 84

México
Avda. Universidad, 767
Colonia del Valle
03100 México D.F.
Tel. (52 5) 554 20 75 30
Fax (52 5) 556 01 10 67

Panamá
Vía Transísmica, Urb. Industrial Orillac,
Calle segunda, local #9
Ciudad de Panamá.
Tel. (507) 261 29 95

Paraguay
Avda. Venezuela, 276,
entre Mariscal López y España
Asunción
Tel./fax (595 21) 213 294 y 214 983

Perú
Avda. Primavera 2160
Surco
Lima 33
Tel. (51 1) 313 4000
Fax (51 1) 313 4001

Puerto Rico
Avda. Roosevelt, 1506
Guaynabo 00968
Puerto Rico
Tel. (1 787) 781 98 00
Fax (1 787) 782 61 49

República Dominicana
Juan Sánchez Ramírez, 9
Gazcue
Santo Domingo R.D.
Tel. (1809) 682 13 82 y 221 08 70
Fax (1809) 689 10 22

Uruguay
Constitución, 1889
11800 Montevideo
Tel. (598 2) 402 73 42 y 402 72 71
Fax (598 2) 401 51 86

Venezuela
Avda. Rómulo Gallegos
Edificio Zulia, 1º - Sector Monte Cristo
Boleita Norte
Caracas
Tel. (58 212) 235 30 33
Fax (58 212) 239 10 51